FO A FI GYDA'I HELP HI
Teithiau Dewi Pws

Fo a Fi
gyda'i help Hi

Teithiau Dewi Pws

Gol: Lyn Ebenezer

Argraffiad cyntaf: Hydref 2004

ⓗ *Dewi Pws*

Rhif Llyfr Safonol Rhyngwladol:
0-86381-915-X

Cynllun clawr: Sian Parri

Cyhoeddir o dan gynllun comisiwn Cyngor Llyfrau Cymru.

Argraffwyd a chyhoeddwyd gan Wasg Carreg Gwalch,
12 Iard yr Orsaf, Llanrwst, Dyffryn Conwy, LL26 0EH.
☎ *01492 642031*
🖷 *01492 641502*
✆ *llyfrau@carreg-gwalch.co.uk*
Lle ar y we: www.carreg-gwalch.co.uk

Cynnwys

Cyflwyniad ganddo Fo

Cyn dechrau ffilmio *Byd Pws* doeddwn i ddim erioed wedi cyfarfod â Dewi. Mae'n rhaid ein bod ni wedi cyfarfod gyntaf ar drothwy ein taith gyntaf, honno i bellteroedd yr Ynys Las i ben draw'r byd go iawn. Doedden ni ddim wedi bod efo'n gilydd erioed, ac rwy'n cofio stopio yn rhywle, yn Nenmarc, hwyrach, a chan nad oedd o'n gwybod sut foi oeddwn i na minnau'n gwybod sut foi oedd o fe aethon ni am beint, cael gormod o gwrw ond dod i adnabod a gwerthfawrogi'n gilydd.

Yn fy hanes i fe ddaeth mynydda o flaen ffilmio. Yn syth o'r coleg mi wnes i fynd i ganolfannau awyr agored i ddysgu dringo a chanŵio ac ati gan orffen fy nghyfnod o hyfforddi ym Mhlas y Brenin. Wedyn fe wnes i ddechrau ffilmio rhai o'r bobol oedd yn cymryd rhan yn y gweithgareddau awyr agored hyn.

Ar ôl ychydig fe wnes i sylweddoli fod hyn yn rhywbeth y medrwn i ei wneud, a dyma ddechrau gwneud fideos fy hunan. Y llwyddiant cyntaf oedd rhaglen o'r enw *Stone Monkey*, comisiwn ar gyfer Sianel Pedwar Lloegr. Yn 1987 oedd hyn, ac fe wnaeth dros filiwn o bobol wylio'r rhaglen. Yn wir, fe gafodd y rhaglen ei hailddangos yn ddiweddarach.

O hynny ymlaen fe ges i raglenni llenwi gan S4C ac yna dyma Robin Ifans o Ffilmiau'r Nant yn 1988 yn fy ngwahodd i draw i weithio yno ar raglenni awyr agored. Roedd gen i fantais gan fy mod i'n arbenigo ar ffilmio gweithgareddau o'r fath, a dyna oedd y *niche*. Ers hynny rwy wedi gwneud llwythi o raglenni o'r fath. Erbyn hyn rwy'n dechrau ehangu drwy olygu a chyfarwyddo hefyd.

Yn ystod y gyfres gyntaf o *Byd Pws*, cyn meddwl am ddechrau ffilmio, roedd angen trefnu'r daith ac yna cludo'r offer. Trefnwyd y chwe rhaglen gyntaf gan Rhian o'r swyddfa yng Nghaernarfon. Ond Dewi a minnau fyddai â'r holl gyfrifoldeb wedyn. Roedd ganddon ni ddau gamera, un mawr – camera priodas, fel y byddwn i'n ei alw – a chamera bach.

Doedd y camera mawr ddim yn wych, doedd o ddim yn ddigidol llawn, ond roedd o'n well o dipyn na'r camcorder cyffredin. Pws oedd â gofal o'r camera bach o'r cychwyn. Fe wnes i ei roi iddo fo ar gyfer gwneud *asides*, rhyw sylwadau bach cynnil, ymylol yma ac acw a rhyw chwarae o gwmpas, er na chafodd hynny mo'i ddatblygu ddigon yn y rhaglenni.

Y broblem fawr ar y daith gyntaf honno i'r Ynys Las oedd yr oerfel, roedd hi mor ofnadwy o oer fel na wnâi'r camera weithio ar un adeg. Petai hynny wedi parhau, fyddai yna ddim rhaglen. Roedd y tymheredd yn minws 40. Mewn achosion fel hyn mae hi'n bwysig peidio mynd â'r camera i mewn dan do oherwydd problemau *condensation*.

Problem arall oedd na fedrwn i olygu nes cyrraedd yn ôl. Ond rown i'n gwybod beth oeddwn i ei eisiau ac roedd modd chwarae'r tâp yn ôl yn y camera i gael rhyw syniad o'r lluniau. Ond wnaeth pethau ddim gweithio'r ffordd yr oedden ni wedi ei drefnu. Y bwriad oedd byw gyda'r bobol. Y teitl dros dro oedd Pererindod Pws, hynny neu Fi a Fo, gan ganfod rhywbeth ysbrydol, rhywbeth y medrai Pws ei ddysgu neu rywbeth y gallai'r gwylwyr ei ddysgu drwyddo fo. Hefyd byddai angen jôcs gan Pws a gwneud yn siŵr ei fod o'n cael amser caled yn awr ac yn y man er mwyn i'r gwylwyr chwerthin am ei ben. O gael dwy o'r elfennau yna mewn un rhaglen, fe fyddai hi'n rhaglen weddol dda. O gael y tair elfen, fe fyddai hi'n rhaglen dda.

Pwrpas yr holl gyfres oedd gweld a oedd yr holl stereoteipiau fel esgimos a chowbois ac aborigine yn bodoli mewn gwirionedd. Gan fod y gyfres gyntaf i fynd allan yn y flwyddyn 2000, roeddan ni'n meddwl y basa pobol yn sbïo'n ôl gan feddwl sut oedd y byd wedi newid. Felly, yn y rhaglen gyntaf, y bwriad oedd gweld sut oedd esgimos yn byw. A oedden nhw'n bodoli fel yr oeddent mewn comics plant? Felly, dyma drefnu i fyw gyda theulu o esgimos go iawn yn Qeqertat ymhell i'r gogledd o Tulle. Fe gafodd y bobol hynny hwyl fawr am ein pennau ni gan i Rhian ofyn am gwch i fyny'r *fiord*, a hynny ym mis Mawrth. Roedd y *fiord* yn solet o rew. A doedd yna ddim byd yn digwydd. Yr ateb wedyn oedd mynd allan ar y môr mawr i hela gyda gŵr o Siapan, Iko, ar wyneb y rhew. Roedd Pws yn gyndyn iawn o wneud hyn a gorfu i mi ei orfodi fo i fynd ar y rhew. Roedd o'n casáu bod yno a minnau wrth fy modd. Ar y llaw arall, yn Awstralia, Pws oedd wrth ei fodd tra roeddwn i'n casáu bod yno. Fedrwn i ddim goddef y gwres. Ac am y tro cyntaf, roedd Pws yn hapus a minnau yn anhapus. Yn hyn o beth mae'r ddau ohonon ni'n gwbl wrthwyneb i'n gilydd. Ond wnaeth hynny ddim amharu o gwbl ar y rhaglen. Yn wir, roedd anghydfod bach fel hwnnw yn cryfhau'r rhaglen. Y ddelwedd oedden ni am ei chyfleu o Pws oedd y teithiwr amharod.

Yr unig wir broblem o ran ffilmio oedd y sain. Newydd ddechrau gweithio ar sain oeddwn i. Roedd o'n rhyw gyfrifoldeb ychwanegol. Ond unwaith y byddwn i'n sicr fod ansawdd y sain yn iawn, roeddwn i'n medru anghofio'r peth.

Ond y broblem fwyaf oedd y trefnu. Ar gyfer yr ymweliad ag Awstralia, pan fu'n rhaid i ni ffilmio dwy raglen i gyfiawnhau'r gost, dim ond un rhif ffôn oedd gen i. Dim ond un cyswllt. Nid canfod y Crocodile Dundee go iawn oedd y bwriad ond mynd i weld a oedd y math yna o ddyn yn bodoli. Damwain a hap oedd i ni lwyddo i gwrdd â'r dyn ei hun. Rhaid cofio fod hyn cyn i'r e-bost ddod yn boblogaidd, felly roedd pob peth yn cael ei wneud drwy ffacs a ffôn. A doedd y person ar bendraw'r lein yn Awstralia ddim yn mynd i'r drafferth o ateb. Roedd un wraig oedd yn gweithio i'r llywodraeth leol yn Darwin wedi ateb. A dyna'r unig gyswllt oedd gen i. Ond ar ôl i ni gyrraedd a'i ffonio hi, doedd hi ddim yn rhyw help mawr. Y cyfan wnaeth hi oedd awgrymu y dylem fynd i ryw siop yn Darwin. Ac yno y gwnes i ffonio llwyth o bobol a cheisio trefnu cynllun. Fe wnaethon ni lwyddo i fynd i fferm grocodeils ac i Barc Cenedlaethol Kakadu. Ac yna, drwy lwc yn unig, dyma fynd i mewn i siop gowbois a dechrau siarad â rhyw foi, Dwaine Delaney. A'i awgrym ef oedd i ni fynd i weld y

Crocodile Dundee go iawn. Roedd o'n ei adnabod. A bant â ni. Doedd y bobol wynion ddim yn ei hoffi am ei fod yn gyfeillgar â'r Aborigine. Ond fe ddaeth Pws yn agos iawn ato fo.

Wedi'r gyfres gyntaf, fe benderfynwyd y câi Rhian ddod gyda ni. Roedd ganddon ni broblem fawr wrth i ni byth a hefyd anghofio derbyniadau am dreuliau. Fe fydden ni'n cadw cownt ar gefn amlen, a doedd hynny ddim yn ddigon da. Fe fydden ni'n dod adre wedi gwario llawer o'n harian ein hunain. Roeddwn i eisoes wedi bod gyda hi ym Mali ar gyfer rhaglen Dei a Tom ac yn gwybod ei bod hi'n wych yn y gwaith o gadw trefn. Fe gododd hynny bwysau mawr oddi ar fy ysgwyddau gan adael i mi ganolbwyntio ar y priod waith o lunio rhaglen.

Wrth edrych yn ôl ar y teithiau, fy hoff un i oedd yr un gyntaf honno i'r Ynys Las, cael bod allan ar fôr wedi rhewi, a hynny filltiroedd o bobman, efo esgimo yn hela walrus. Profiad anhygoel. Po wylltaf a mwyaf anghysbell y tirwedd, gorau i gyd gen i. Y llefydd mwyaf annymunol i mi oedd y bariau yn Awstralia, yn arbennig yn Darwin. Yno mae gofyn i rywun edrych ar ôl ei hun.

Roedd Guatemala yn lle peryglus hefyd gyda'r gwn yn rheoli. Roedd yna gefndir tebyg i Ogledd Iwerddon, y seicoleg o ddefnyddio gynnau fel ffordd o fyw. Ond o ran pleser yn fy ngwaith, y rhaglen ar y Kumbh Mela sy'n sefyll allan, er mai dyna'r ymweliad mwyaf anodd hefyd yn gorfforol. Honno wnaeth ennill i mi wobr BAFTA. O ran stori, hwyrach mai Guatemala sy'n sefyll allan wrth i ni ddisgwyl gweld y Maximon, yr hen dduw paganaidd.

Cyfrinach Dewi Pws fel cyflwynydd yw fy mod i yn medru cerdded i mewn i sefyllfa a'r camera'n rhedeg gan wybod ei fod o bob amser yn barod ac yn effro i'r sefyllfa. Mae o mor barod â'i *ad libs*, mor ffresh. Rydan ni wedi datblygu steil mae o'n leicio, dim *cutaways* ond un shot hir. Mae o'n effro drwy'r amser i bosibiliadau. Dyna be sy'n grêt amdano fo. Mae ganddo fo gymaint o syniadau. Pwy ond y fo fyddai wedi gweld arwyddocâd hen foi yn cario ffridj i fyny Everest? Felly mae o'n cyfarwyddo gymaint ag ydw i.

Mae ganddo galon gref. Wnaiff o byth ddringwr gan fod ei bengliniau wedi mynd. Ond mae o'n benderfynol. Mae rhai yn amau iddo lwyddo i gwblhau'r pedwar-copa-ar-ddeg. Ond mi wnaeth. Roeddwn i yno yn dyst. Roedd o ar fin rhoi'r gorau iddi yn Ogwen a thua thraean o'r daith ar ôl. Ond mi ddeudodd rhywun rywbeth digon ysgafn, rhyw dynnu coes nad oedd y blydi Hwntw hwn yn mynd i orffen y daith. Mi gododd ac mi aeth i fyny'r mynydd nesaf fel trên. Ond wrth ddisgyn o'r copa olaf, roedd o mewn cyflwr ofnadwy. Ond mi lwyddodd.

Mae Pws hefyd mor anhygoel o neis efo pobol. Os oes unrhyw fath o densiwn yn codi mae o'n medru tynnu'r colyn o'r sefyllfa o fewn eiliad gyda'i hiwmor. Peth arall nodweddiadol ohono yw ei agosatrwydd at ei wraig, Rhiannon, ac at ei fam, Ray. Doedd yna'r un diwrnod yn mynd heibio, ble bynnag y byddai Dewi'n digwydd bod yn y byd, nad oedd o'n ffonio Rhiannon a Ray.

Mae o'n foi grêt.

Alun Hughes

Hylo oddi wrthi Hi

Ro'n i'n gyfrifol am drefnu'r gyfres gynta ond yn stỳc yn y swyddfa, felly erbyn yr ail gyfres roedd hi'n braf cael y cyfle i deithio a gweld y darlunie yn fy mhen yn dod yn fyw. Roedd y realiti'n well neu'n waeth ond byth yr un fath.

Y cyfarwyddyd oedd cael trefn, helpu'n ieithyddol, cario llwythi o arian a cheisio datrys probleme cyn iddyn nhw ddigwydd . . . hynny yw, gadael mwy o le i'r bois ganolbwyntio ar beth maen nhw'n ei wneud ore.

Y daith gynta' i fi oedd i Kwazulu Natal, De Affrica. Ar gyrraedd Durban o Fanceinion, roedd popeth yn ei le ar wahân i un broblem bach – dim cyflwynydd. Roedd Dewi yn dal yn Heathrow wedi colli'i basport. Cafodd groeso cymysg pan laniodd ddyddie'n ddiweddarach, druan.

Roedd hi'n ddiddorol gweld dau gymeriad mor wahanol yn sbarcio oddi ar ei gilydd. Tra bod un ar bigau'r drain, yn ddiddanwr di-baid ac yn faestro'r croesair mae'r llall yn ddyn o ychydig eirie ac ar ei hapusaf yn dringo mynydd. Roedd watsys y ddau'n dweud y cyfan: Alun â'i wats fawr *multi-gadget* (yn yr unig wlad lle'r oedd gwir angen gwybod ar ba uchder uwchben y môr oedden ni – Tibet – fe dorrodd y wats ar y diwrnod cynta!) Roedd y wyneb a'r dwylo ar wats Dewi'n troi am yn ôl ac yn amhosib eu darllen heb gael twtsh o figrên.

Trwy lwc fe wnes i ganfod fy hun rywle yn y canol yn cadw pethe i dician.

Gan amla, rwyf fi a Dewi'n ceisio'n gore i gyfathrebu rhywfaint yn yr iaith leol tra bod Alun yn troi at Sbaeneg a 'stumie lle bynnag yr ydym yn y byd. Grêt yn Guatemala ond dyw *graçias* a *por favor* ddim yn mynd yn bell yn downtown Hanoi. Roedd wyneb y *garçon* yn bictiwr un bore yn Bénin, Gorllewin Affrica, wrth i Alun geisio ordro wy wedi'i ferwi mewn gwlad nad oedd erioed wedi gweld cwpan wy, cloc wy na thegell o'r blaen. Daeth deng munud o artaith i ben pan weiddes i *'Blydi hell – oeuf à la coque'* oedd yn teimlo'n briodol iawn ar y pryd.

Dewi yw'r unig un yr ydw i'n ei nabod sydd, ar y daith awyren ar y ffordd allan, yn becso pa amser y bydd angen yr alwad gynnar ar fore'r daith adre ymhen pythefnos. Ond rhaid i mi ymddiheuro am adael olion bysedd yn ei fraich yn ystod llawer o derfysg awyr a phocedi aer dros y blynydde.

Un o'r pethe pwysica yw canfod rhywun cyfrifol, gwybodus ym mhob gwlad i helpu i drefnu pethe 'mlaen llaw. Mae llwyddiant rhaglen yn gallu dibynnu ar y *fixer* ac roedd cyfraniad Deepak o Delhi a Nkosinathi yng Ngwlad y Zulu yn amhrisiadwy. Doedd eraill ddim cystal. Ac i ddweud y gwir, dwi'n dal heb gyfarfod â Roger oedd i fod yn ein disgwyl yn *Arrivals*, maes awyr Cotonou, Bénin ar y 4ydd o Ionawr 2004. Roger, os wyt ti allan yna'n rhywle, Blwyddyn Newydd Dda!

Mae 'na wastad lot o hwyl i'w gael yng nghwmni'r ddau arall a lot o dynnu coes. Y syndod yw nad ydym yn cweryla mwy, ond gan amla byddwn ni'n cyd-dynnu'n well fyth pan fyddwn ni mewn twll, wedi blino'n lân neu'n bell o wareiddiad. Wel, mae jôcs Dewi yn ein cadw ni i fynd! Y peth gwaetha' yw diflastod biwrocratiaeth a'r orie, dyddie o wastraff amser o ganlyniad. Ond mae llefydd gwaeth i fod yn styc ynddyn nhw na Marrakesh a Kathmandu 'sbo . . .

Ar y cyfan mae bod yn fenyw wedi bod yn fantais. Yn gwersylla yn y Wadi Rum yn yr Iorddonen, fodfeddi oddi wrth gamelod yn torri gwynt a tharo rhech, dim ond fi oedd yn stryffaglu am hanner milltir i ganfod craig digon o seis i fynd am bisiad. Yna mewn pabell Bedouin yng nghanol yr anialwch ar y ffordd i Azrac ash-Shishan, ces i'r fraint o fod yn 'ddyn anrhydeddus' ymhlith y sheiks yn lledorwedd ar glustoge moethus o gwmpas y tân yn yfed te mintys. Ond y fraint fwya' oedd derbyn gwahoddiad i ymuno â'r menywod oedd yn cuddio tu nôl i'r llen yng nghefn y babell. A dyna lle ro'n ni'n eistedd mewn cylch yn y tywyllwch yn gwenu, syllu, cyffwrdd wynebe a chwerthin gan ddeall ein gilydd heb ddweud gair.

13

'Wy'n cael y teimlad mai fi oedd yn teimlo'r mwya' saff o'r tri ohonom yn y Transvestite Ball yng Ngharnifal Rio de Janeiro. Roedd y dynion yn ferched trawiadol iawn a dweud y lleia'.

Mae pob taith wedi gadael argraff am resymau gwahanol. O bobman, y daith fwya ysgytwol oedd honno i Pine Ridge Reservation yn Ne Dakota i fyw gyda'r Indiaid Lakota. Lle llwm ar dir gwael, tlodi truenus, sefyllfa gymdeithasol drist a'r bobol yn cael eu hystyried yn israddol ar eu tir eu hunain.

Anghofia i byth sgwrsio â chriw o fois ifanc ar stepen drws yr ysgol i guriad drymie'r pow-wow yn y neuadd fawr. Roedden nhw'n byrstio â chwestiyne am y Byd Mawr gerllaw ond eu llygaid yn llawn anobaith wrth esbonio nad oedd 'na ddyfodol iddyn nhw yma – roedd hi'n amhosib iddynt adael gan fod yr atgasedd tuag atynt y tu hwnt i'w tiriogaeth yn codi gormod o ofn arnynt. Gyda'r nifer uchaf o hunan-laddiad yn yr Unol Daleithiau ymysg bechgyn yn eu harddegau yn Pine Ridge, roedd hi'n anodd cadw'r dagre'n ôl.

Bydd ambell i ddarlun arall yn aros yn y cof am byth: ar lyn Atitlàn yng nghanol llosgfynyddoedd Guatemala wrth iddi nosi – y rhwyfwr mewn silhouette a Dewi ar yr harmonica; dihuno mewn sach gysgu ar doriad gwawr ar lan y Ganges a gweld môr o wynebe distaw yn syllu lawr arna i ar y ffordd i ymdrochi yn y dŵr sanctaidd; ras skidoo yn erbyn y bois ar hyd afon rewllyd yng ngwlad y Sami gyda'r gwynt yn fy nwrn – tan i fi gofio bod gen i garw ar y cefn; yr olygfa gynta wefreiddiol o'r Himalaya o ben y Gyatso La yn Tibet; cyfarfod Brenin y Zulu a'r Dalai Lama; bwrdd llawn cyris anfarwol yn Mumbai . . .

O ysbrydoldeb heddychlon y Kumbh Mela i thongs a pom-poms Rio o fewn wythnose i'w gilydd – dyna 'Byd Pws' i mi.

Rhian Williams

1
Yr Ynys Las

Mae 'na hen ddywediad sy'n mynnu nad yw'r teithiwr da yn gwybod ble mae e'n mynd ond fod y teithiwr gwych heb wybod ble mae e wedi bod. Nawr, mae O, sef Alun Hughes, yn mynnu mai fel arall mae'r dywediad, sef bod y teithiwr da heb wybod ble mae e wedi bod tra bod y teithiwr gwych heb wybod ble mae e'n mynd.

Rhyw feddyliau fel yna oedd yn mynd drwy fy meddwl i yn Qaanaaq, yng ngogledd yr Ynys Las. Roedd hi'n oer yno, yn oer iawn. Allan drwy ffenest y caban roedd hi'n edrych yn ddiwrnod braf, diwrnod da i fynd am dro. Ond na, doedd hi ddim. Roedd hi'n wirioneddol oer. Ond rhaid oedd mynd, a hynny mewn dillad trwchus gyda ffwr ar y tu mewn i'r got a'r hugan. Wrth fynd allan i'r oerfel ro'wn i'n teimlo fel y bachan hwnnw ar daith arwrol Scott. 'Rwy'n mynd allan. Falle y bydda i gryn amser.'

Cartre'r Inuit yw Qaanaaq, ac Inuit yw'r enw gwleidyddol gywir am yr Eskimo. Dydyn nhw ddim yn hoffi cael eu galw yn Eskimo gan mai ystyr yr enw yw pobol sy'n bwyta cig amrwd.

Tref gyntefig oedd Qaanaaq ar yr olwg gyntaf. Ond roedd hi'n hawdd cael eich twyllo. Roedd yno drydan, dŵr twym, teledu – a hyd yn oed eich siop *Spar* leol. Ond dim ond dechrau'r daith oedd Qaanaaq. Roedd O, sef Alun, y dyn camera a finne am fynd i'r pentre mwyaf gogleddol yn y byd, Siorapaluk, a'i gyrraedd heb ddal na thrên na bws na thacsi. Dim ond Fo a fi, y fi ag un sled a Fo â dwy.

Roedd gan bob teulu yn Qaanaaq dîm o gŵn, felly doedd dim problem wrth feddwl am dynnu'r slediau. Ond cyn ystyried cyrraedd y pentre mwyaf gogleddol yn y byd roedd angen ymweld â phentre bychan Qeqertat, taith 80 milltir.

Anodd oedd credu hynny, ond golygai'r rhan helaeth o'r siwrne deithio dros wyneb y môr. Yma roedd y môr yn rhewi am ddeng mis o'r flwyddyn. Yn wir, y môr oedd traffordd yr M1 i Qeqertat, a finne'n gweddïo fod y rhew yn ddigon trwchus i'n dal ni.

Roedd yr Inuit yn gyrru timau o gŵn yn eu blaen drwy gracio chwipiau a gweiddi rhyw ebychiadau gyddfol nad oedd neb ond nhw – a'r cŵn – yn eu deall. A'r cŵn wedyn yn ymateb drwy gyfarth ac udo. Ar ôl tua theirawr o deithio fe ddechreuodd yr haul fachlud a'r tywydd, o'r herwydd, yn oeri mwy fyth. Fe wnes i benderfynu gadael y sled a rhedeg wrth ei hochr i gadw'n gynnes.

A dyma ddysgu un o gyfrinachau natur yn y rhan hon o'r byd. Dychmygwch hyn – mae ganddoch chi dîm o ddeg o gŵn, a phob ci yn bwyta pysgod ddydd a nos. Roedd eu stumogau nhw yn bownd o fod mewn cyflwr ofnadwy. Ie, dychmygwch o ddifri ddeg o gŵn yn cnecu neu dorri gwynt ar yr un pryd. Dyw e ddim yn beth neis, odi fe? Dychmygwch y drewdod ofnadwy. Fe fyddech chi'n meddwl erbyn hyn y byddai'r Inuit wedi dysgu'r cŵn i wthio'r slediau. Wedyn fyddai'r gwynt drwg ddim yn chwythu i'n hwynebau ni. Ond wedi meddwl, ar ôl y narwhal wnes i fwyta'r noson cynt, y cŵn fyddai'n diodde wedyn.

Wrth i ni yrru yn ein blaenau dyma gael tipyn o syndod. Dyna lle'r oeddwn i yn meddwl fy mod i wedi hen adael dwndwr y ddinas a'i thagfeydd traffig pan wnes i fy nghael fy hun yng nghanol pac o hysgwn. O dagfa traffig i dagfa cŵn. Fe groesodd criw arall o helwyr ein llwybr ni gan ddrysu ffrwynau ein cŵn ni a ffrwynau eu cŵn nhw. Bu'n rhaid stopio i ddatglymu yr holl raffau.

Ry'n ni yn y gorllewin yn trin ein cŵn yn well na fyddwn ni'n trin pobol yn aml. Ond i'r Inuit dyw'r cŵn yn ddim byd mwy na pheiriannau cig a gwaed, cyfryngau i dynnu'r slediau o un man i'r llall. A phan mae injan yn torri lawr, does ganddyn nhw ddim rhyw lawer o amynedd. Os oedd ci yn ymddwyn yn lletchwith, yr ateb oedd cydio yn ei war a'i daflu o'r ffordd.

Roedd eu hagwedd at eu cŵn yn fy mhoeni i. Ond dyna fe,

16

roedd eu ffyrdd nhw yn wahanol. Petai ci yn cael ei gymryd yn wael, wnân nhw ddim ei roi allan o'i boenau drwy ei saethu. Na, fe wnân nhw ei adael i farw yng nghanol yr oerfel.

Y peth wnaeth fy nharo i fwyaf yng nghanol y rhew a'r eira oedd y tawelwch llethol. Wnes i ddim erioed yn fy mywyd deimlo'r fath unigrwydd. A'r tirlun i bob cyfeiriad mor eang, mor anferth o faith. Fe ddisgynnodd y tymheredd i Radd 40 o dan y rhewbwynt. Rhaid fu cynnau'r stôf i ferwi dŵr i gael te. A'n hanadliadau ni'n codi'n gymylau gwyn.

Erbyn saith o'r gloch y nos roedden ni wedi teithio trigain milltir. Ugain milltir arall i fynd cyn cyrraedd Qeqertat. Fydd yr Inuit na'u cŵn fyth yn teithio gyda'r nos. Yn un peth, does dim goleuadau ar y cerbydau. Felly doedd dim amdani ond codi pabell a mynd i gysgu. Ond cyn cysgu, mynd i'r tŷ bach. Neu yn yr achos hwn, i'r eira. Sy'n dwyn i gof un o ddiarhebion mawr yr Inuit: 'Peidiwch byth â bwyta eira melyn'.

Fe wnaethon ni godi am chwarter i saith. Allan â fi i'r awyr agored cyn mynd yn ôl i'r babell er mwyn cael gweld yn gliriach ble bues i'n cysgu. Wrth ailagor y babell roedd mwg yn codi. Y tu mewn, stôf fechan ynghyn, a'r cyfan mor gysurus ag unrhyw *Hilton*. Fi gafodd gysgu y tu mewn tra oedd y bois y tu allan. Pam lai? Wedi'r cyfan, fy sioe i oedd hon.

Pysgod i frecwast. Ond yn gynta rhaid oedd eu dal. Torri twll yn yr eira, gollwng bachyn ar lein i lawr y twll, ac ymhen llai nag eiliad, plwc. Pysgodyn braf yn dod i'r golwg, rhywbeth digon tebyg i halibwt. Roedd ei enw fe yn iaith yr Inuit yn swnio fel 'bwa'. A dyna i chi fantais. Roedd y pysgod eisoes mewn 'deep freeze'.

Yr Ynys Las yw'r unig le yn y byd i fi fod ynddo fe heb fod un o'r trigolion yn medru siarad gair o Saesneg. Wel na, roedd ganddyn nhw ddau air o Saesneg, i fod yn deg. 'Fish' a 'tea'. Pan fydde nhw'n dweud 'fish', ro'wn i'n gwybod eu bod nhw wedi dal pysgodyn. Pan fydden nhw'n dweud 'tea', ro'wn i'n gwybod eu bod nhw am i fi wneud te.

Ond nid eu hanwybodaeth o'r Saesneg neu Gymraeg oedd

yr unig reswm dros eu tawedogrwydd. Pobol dawel, fewnblyg oedden nhw'n naturiol. Doedden nhw jyst ddim am siarad. Fe wnân nhw eistedd am oriau yn gwneud a dweud dim byd.

Un peth amhosibl i raglen deledu ei gyfleu oedd pa mor oer oedd hi yno. Ac un peth wnaethon ni ei ddysgu oedd, os oedden ni am gael brecwast, roedd yn rhaid i ni gysgu gydag e. Fel arall fe fyddai'r ffrwythau fel y banana a'r afalau, y sudd oren – hyd yn oed y bagiau te – wedi rhewi'n gorn. Dysgu neu glemio, dyna oedd y drefn.

Ddechrau'r prynhawn, a ninnau wedi ailddechrau ar y siwrne, fe arafodd y teithio, hynny am fod yr eira mor feddal, a'r cŵn yn ei chael hi'n anodd i dynnu'r cerbydau. Ac yn y diwedd fe ddaethon nhw i stop. Fel roedd pethe'n edrych, fydden ni ddim yn cyrraedd pen y daith cyn iddi nosi, hynny'n golygu cysgu mas unwaith eto. A dweud y gwir, ro'wn i'n dechre cael llond bol ar bethe. Ar adegau fel hynny y byddai rhywun yn breuddwydio am gael bod mewn rhan arall o'r byd, Fflorida, er enghraifft. Ond o'r diwedd fe ddechreuodd yr eira rewi digon i ni ailgychwyn. Ac o'r diwedd, cyrraedd Qeqertat. Poblogaeth o ugain, ond digon ohonyn nhw'n barod i roi help llaw i ni dros y canllath olaf.

Gyda theulu Hans Jensen roedd Alun a fi i letya. Fe aethon ni ag ychydig o bresantau i'r plant – siwmper ag arni enw Cymru, a llwy garu. Rhaid eu bod nhw'n gwerthfawrogi'r gwerthoedd traddodiadol. Ond beth oedd ar y teledu? *Mr Bean*, o bopeth!

Yna, pryd o fwyd. Ie, pysgod! A dyma sylweddoli eto nad oedd y bobol yn siarad llawer. Nid eu bod nhw'n oeraidd neu'n ddirmygus. Na, doedden nhw ddim yn siarad llawer â'i gilydd hyd yn oed yn y cartref, heb sôn am siarad a phobol ddieithr. Wrth gwrs, fe gaen nhw hi'n anodd i'n deall ni, roedd hynny'n amlwg. Pan wnes i ofyn i Anita, gwraig y tŷ, a allwn i wneud dishgled o de, fe wnaeth hi wenu a mynd â fi mas i'r toiled.

Un camgymeriad mawr wnes i oedd mynd allan i gerdded y mynydd agosaf. Fe es i allan gyda chymorth ffyn sgïo, jyst rhag ofn. Yn anffodus doedd gen i ddim y dillad addas ar gyfer cerdded, dim ond y dillad cynnes oedd gen i ar gyfer teithio. Y canlyniad oedd i fi chwysu fel cneifiwr. Dewi Pws wedi troi'n Drewi Pwps unwaith eto. Ond o leiaf fe fedrwn i fy nghysuro fy hun y byddwn i, o gyrraedd brig y mynydd, wedi llwyddo i gyflawni rhywbeth.

Mae'n rhyfedd y meddyliau mae rhywun yn eu cael yn y mannau mwyaf annisgwyl. Yno ar ben y mynydd, gydag eira yn ymestyn i bob cyfeiriad, fe wnes i gofio am hanes y dyn hwnnw a aeth at y doctor a dweud fod rhywbeth mawr yn ei boeni.

'Bob tro rwy'n mynd i'r toiled gyda'r nos, mae Duw yn troi'r golau ymlaen i fi,' medde fe. 'A phan fydda i'n mynd 'nôl i'r gwely, mae Duw yn troi'r golau bant.'

'Wel, wel,' medde'r doctor, 'rhyfedd iawn. Halwch eich gwraig i mewn i fi gael gair â hi.'

A dyna ddigwyddodd. Fe drodd y doctor at y wraig gan ysgwyd ei ben yn anobeithiol.

'Rwy'n ofni fod eich gŵr chi yn dioddef o symptomau gwallgofrwydd crefyddol. Bob tro mae e'n mynd i'r toiled gyda'r nos, mae e'n meddwl fod Duw yn cynnau'r golau iddo fe. A phan mae e'n mynd 'nôl i'w wely, mae Duw yn troi'r golau bant.'

'O, yffach,' medde'r wraig, 'mae'r mochyn wedi bod yn piso yn y ffridj eto.'

Mae dweud ambell jôc yn rhan naturiol o'r ffilmio. Yn aml mae jôc yn angenrheidiol. Ble bynnag fydda i'n mynd, rwy'n ceisio addysgu rhywun. Os na fydda i'n deall rhywbeth, rwy'n cymryd yn ganiataol nad yw'r gwylwyr yn deall chwaith, felly fe fydda i'n ceisio gofyn y cwestiynau fydden nhw'n eu gofyn. Dyna pam na fydda i'n hoffi trefnu gormod o flaen llaw. Rwy am i bethe ymddangos ar y camera'n naturiol. Ond weithiau mae hi'n anodd gan na fydda i'n gwybod beth fydda i'n ei wneud nesaf. Weithiau does dim byd yn digwydd, felly fe fydda i'n dweud jôc neu'n creu sefyllfa.

Weithiau fe fydd Al yn rhoi gorchymyn, 'Reit, deuda jôc.' Neu, 'Reit, beth am sgetsh?' Ac fe fydd yn rhaid i fi adrodd jôc berthnasol neu greu sgetsh. Ac rwy wrth fy modd yn gwneud hynny. Ar un o'r teithiau ro'wn i wrthi yn sôn am adar. A dyma fi'n troi at Al a dweud, 'Reit, ffilmia fi.' Yntau'n gofyn, 'Beth wyt ti'n mynd i'w wneud?' A finne wedyn yn siarad â'r camera. 'Nawr 'te, yr adar yma, pan maen nhw'n dod 'nôl i Gymru, ydyn nhw'n siarad Cymraeg? Wedyn, pan ddown nhw 'nôl fan hyn, sut maen nhw'n cyfathrebu â'r adar eraill? Pa fath o "twît" yw e? Oes yna'r fath beth â "twît" Ffrengig? Oes yna "twît" Cymreig?' Fe fydda i'n gweld y camera'n ysgwyd wrth i Al chwerthin. Ond mae hi'n hyfryd meddwl fod pobol rownd y byd i gyd yn siario'r un hiwmor.

Ond mae pobol yn wahanol hefyd. Pan fo dau Gymro'n cwrdd, y peth cynta wnân nhw yw siarad am y tywydd. Ond fedrwch chi ddychmygu dau Inuit yn cwrdd â'i gilydd a dweud, 'Diawch, mae hi'n oer.' Neu ddau Arab yn dweud, 'Neis heddi, on'd yw hi.' Fe fydda i'n meddwl llawer am bethe bach fel'na.

Peth arall rwy'n ei hoffi hefyd yw cyfathrebu gyda'r llygaid. Rwy'n edrych i fyw llygaid rhywun sy'n deall dim gair o'r hyn rwy'n ddweud. Fe fydda i'n gwenu, a maen nhw'n gwenu. Ac er na fyddwn ni'n deall yr un iaith, fe fyddwn ni'n deall ein gilydd.

Beth bynnag, rwy'n crwydro. Fe wnaethon ni dreulio noson arall yn Qeqertat. Gorwedd yn dawel a gwrando ar synau'r pentre yn setlo yn yr oerfel. Rhywun yn chwarae cân bop ar organ drydan, o bopeth, ac yna udo'r cŵn yn boddi pob sŵn arall.

Codi yn y bore a'r olygfa yn atgoffa rhywun o fore Nadolig traddodiadol. Fi'n clirio'r eira o flaen y tŷ ble'r oeddwn i'n aros. Cofio blynyddoedd plentyndod, finne'n clirio'r eira oddi ar lwybr gardd Anti Bess. 'Nadolig Llawen, bawb!' Neb yn ateb.

Penderfynu mynd i bysgota am halibwt. Y dynion yn torri twll yn yr eira a defnyddio lein 3,000 troedfedd! Bachyn wedyn bob deg llath. Cyn hir, pedwar pysgodyn braf yn gorwedd ar wyneb yr eira. Digon o ffish. Dim tships.

Y noson honno oedd yr oeraf eto. A dyma fyfyrio yng nghwmni Hughes gan ofyn beth oedd pawb yn ei wneud â'r holl halibwt? Pawb yn dal halibwt. Pawb yn eu cludo nhw ar eu slediau. Ond pwy oedd eu hangen nhw? Roedd pawb yn eu dal nhw. Beth oedden nhw'n wneud â nhw? A oedd yna fynydd halibwt? Dychmygu'r gŵr yn cyrraedd adre.

'Diwrnod da heddi, cariad. Rwy wedi dal tri halibwt.'

'O, da iawn.'

'Be gawn ni i swper heno, cariad?'

'Gad i fi feddwl. Beth am halibwt?'

'Syniad da, cariad.'

Roedd bwyta halibwt yn bleser o'i gymharu â bwyta'u bwyd arferol nhw. Wnaen nhw ddim gadael i ni fwyta'r bwyd brodorol fel cig morlo amrwd, er enghraifft, am y byddai'n ein gwneud ni'n dost. Felly, halibwt amdani. Am dair wythnos wedyn wnes i ddim bwyta dim ond bisgedi *Ritz*. Dyna'r unig ddewis arall oedd i'w gael.

Ddau ddiwrnod wedi i ni adael Qeqertat, roedden ni 'nôl yn Qaanaaq. Oddi yma y bydden ni'n teithio i Siorapaluk, y gymuned naturiol fwyaf gogleddol yn y byd i gyd. Teithio ar *Skidoo*, math o fotor-beic eira. Taith ddwy awr. Roedd hi'n rhewi. Doeddwn i ddim am fynd. Ond roedd Hughes yn benderfynol 'gan y bydd o'n dda i'w ddangos ar y rhaglan'.

Dim dewis, felly. Bant â ni a chyrraedd yn ddigon didrafferth. A'r peth cynta ar ôl cyrraedd? Na, nid bwyta halibwt. Ond y gweithgaredd ail mwyaf poblogaidd – yfed dishgled o de. Eilbeth oedd rhyfeddu at fod yn y gymuned naturiol fwyaf gogleddol yn y byd i gyd. Chi Gogs, a Hughes yn eich plith chi! Anghofiwch am eich Llanbêr, eich Sir Fôn a'ch Pesda chi! Fan hyn oedd y Gogs go iawn! Hogia ni!

Fe ddaliais i ar gyfle i fynd allan ar sled yng nghwmni Iko, heliwr gorau Siorapaluk. O Siapan oedd e'n dod. Fe gyrhaeddodd Siorapaluk yn ôl yn 1971 a fe arhosodd e. Ond heliwr gorau neu beidio, fe anelodd e at forlo – a'i fethu fe. Yna, yn y pellter, fe welson ni deulu o walrysod. Yn anffodus i Iko, ond yn ffodus iawn i'r creaduriaid, roedd môr agored rhyngon ni â nhw. Ond pam ddim eu saethu nhw beth bynnag? Yr ateb, yn ôl Iko, oedd y bydde walrws, o gael ei saethu â gwn, yn suddo. Rhaid fyddai defnyddio harpŵn.

Fe demtiwyd Iko i fentro ar draws y rhew. Ond na, roedd e'n rhy denau. Y rhew, nid Iko. Er bod Iko i'r trigolion lleol yn rhyw fath o dduw, fedre hyd yn oed e ddim cerdded ar wyneb y dŵr.

Cysgu mas heb ddal unrhyw beth. Ond ddim yn y sach gysgu. Rhaid oedd i ni gysgu yn ein dillad arferol ar y sled er mwyn symud yn sydyn petai storm yn codi. Ond o dan y tarpowlin roedd hi mor dwym fel i fi sylweddoli na wnawn i byth farw o oerfel ond yn hytrach o anadlu carbon diocsid. Yn ystod y tair noson wnes i gysgu allan, rwy'n tyngu i fi orwedd chwe modfedd uwchlaw'r sled gan fod cymaint o ofn arna i. Doedd fy mhen-ôl i ddim yn cyffwrdd â'r gwaelod.

Fe aeth Iko a finne ymlaen mor bell â Phwynt Alecsander, y man agosaf at Ganada. Doedd dim arall i'w wneud ond troi'n ôl. Beth bynnag, roedd y cymylau yn dechrau crynhoi ac Iko yn ofni tywydd drwg. Felly MOM, mas o 'ma a gobeithio cyrraedd 'nôl cyn y storm.

Cyrraedd mewn pryd a ffarwelio â Qeqertat. Ta-ta, Qeqertat! Dechrau cerdded, dechrau canu.

Ar lan y môr mae rhosys cochion,
Ar lan y môr mae lilis gwynion,
Ar lan y môr mae nghariad inne
Yn cysgu'r nos a rhewi'r bore.

22

2
Wyoming

Wedi teithio am chwech awr ar hugain, colli un cysylltiad awyren a chysgu ar lawr maes awyr Salt Lake City, dyma gyrraedd Yellowstone Regional Airport, Wyoming. Pam? Wel, i chwilio am y Gorllewin Gwyllt er mwyn gweld a oedd unrhyw beth ohono fe ar ôl. Fe fyddai wedi bod yn rhatach o lawer mynd i Dregaron. Rwy'n gwybod o brofiad ei fod e'n bodoli yno.

Y peth cynta i daro rhywun yn Wyoming oedd cyfeillgarwch y bobol. *'Have a nice day!'* Ystrydeb? Na, roedden nhw'n ei ddweud e fel petaen nhw'n ei feddwl e. *'Have a nice day, sir. Can I help you? Surely, sir, allow me to do that.'* Fe fyddai rhai yn meddwl mai gwawdio oedden nhw. Ond na, roedden nhw'n awyddus i helpu. Rown i'n disgwyl cwrdd ag un, wrth gwrs, oedd fel arall. *'Watcha, boy!' Who cut your hair?'* Ac yna poeri ar y pafin. Mae 'na wastad un.

Un oedd ag angen torri ei wallt oedd Buffalo Bill Cody. Roedd delw iddo gerllaw. Ychydig sydd yna ers i rai o'n cyndeidiau ni hwylio dros y môr mawr i chwilio am fywyd gwell. Yn anffodus, roedd bywyd gwell iddyn nhw yn golygu bywyd gwaeth i'r Indiaid, y Crows, y Soshones a'r Blackfeet. Ond roedd bywyd yn galed i bawb.

Pa mor galed yw'r cowbois heddiw? Fe wnes i gwrdd ag un a'i herio.

'Ti'n edrych am drwbwl, boi?'

'Ydw.'

'O, wel, dyna fe, 'te. Hwyl nawr.'

A bant â fi, gyda streipen felen lawr fy nghefn, 'nôl at ddelw Buffalo Bill. Ac yna, cyfle go iawn i weld sut oedd pethe heddiw. Cael gyrru car enfawr, mor fawr â thanc, i lawr y ffordd. Y radio'n chwarae caneuon roc gwlad. Cyfle wedyn i farchogaeth moto-beic gymaint â cheffyl. Bandanna wedi'i lapio rownd fy mhen. Dim ond sisi fyddai'n gwisgo helmed.

Chwilio own i am ransh y Pitchfork er mwyn gweld cowbois go iawn. Cyrraedd pentre Neeteetse. Poblogaeth yn 368. Troi i'r dde am y ransh a sylwi ar y ffaith fod pob ail adeilad naill ai yn amgueddfa neu'n addoldy. Deng milltir arall cyn cyrraedd y ransh. Deng milltir heb weld yr un enaid byw.

Roedd y Pitchfork yn ransh go iawn, yn gan mil erw ac yn hanner-can milltir ar draws. Lled Cymru. A hon oedd y ransh hynaf yn Wyoming. Cael ein gwahodd i'r tŷ, a dyna i chi dŷ. Yn y stafell ffrynt, piano gyda bwrdd tannau mor llydan roedd angen octopws i'w chwarae. Yn y stafell nesaf, lle tân agored a mantell simnai. Yn y gegin, bwrdd bwyd digon mawr i gynnal y Swper Olaf. Stafell gysgu wedyn yn cynnig gwely a allai ddal holl filwyr Arthur yn gyffyrddus. Yn anffodus, mewn stafell wely fach yn y pen draw rown i fod i gysgu. A, wel, fedrwch chi ddim cael popeth.

Yn rhyfedd iawn, er na ddywedodd Hughes na finne hynny ar y pryd, roedd teimlad od iawn yn y tŷ. O ddiffodd y golau roedd cysgod fel ffurf wyneb y diafol yn ymddangos ar y wal. Ro'wn i'n teimlo mor annifyr fel i fi wrthod cysgu heb gadw'r golau ynghyn. Ac am y lolfa, awn i ddim i mewn yno wedi nos. Ar y pryd wnaeth Alun na finne ddim dweud dim byd. Wedyn, ar ôl i ni adael y gwnaethon ni rannu'n teimladau.

Roedd y tŷ wedi ei godi yn 1918 ar safle gwreiddiol cartre Otto von Franz von Litchenstein. Ef oedd y cyntaf i sefydlu ransh yno yn 1878. Otto oedd Cownt cynta'r cownti. Treiwch chi ddweud hynna ar gamera heb wneud llanast o bethe.

Yn ôl yr hanes, sydd wedi'i groniclo'n ofalus yn nyddiaduron y teulu, roedd rhywun unwaith yn dwyn menyn o gegin yr hen Otto Franz. Beth wnaeth e ond clymu cortyn o glicied ei ddryll i ddrws y gegin. Fe geisiwyd dwyn perswâd arno fe i beidio â gweinyddu cosb mor llym am drosedd mor bitw. Ateb Otto oedd, 'Fe all dyn sy'n dwyn eich menyn ddwyn eich bywyd y tro nesaf.'

Roedd saith teulu yn gweithio ar y Pitchfork, ranch oedd chwe mil o droedfeddi i fyny yn y Wyoming Rockies. Ac, fel ar unrhyw fferm dda, fe fyddai gwaith y dydd yn dechrau yn gynnar iawn. Fe wnes i helpu i fwydo'r gwartheg â bêls. Roedd ymateb y gwartheg i'r bwyd yn fy atgoffa i o amser cinio myfyrwyr Pantycelyn yng Ngholeg Aber. Na, chwarae teg, dyw hynna ddim yn deg. Rwy'n gwneud cam â'r gwartheg.

Mae'n rhaid fy mod i wedi gwneud fy ngwaith yn iawn gan i Don, un o'r bois, ddweud wrtha i,

'Boy, you're a natural baler.'

Fi yn 'natural baler!' Dyna i chi deyrnged! O'r diwedd rown i wedi gwneud rhywbeth yn iawn. 'Baler' ddwedodd e, rwy'n credu, nid 'failure'.

Bant â ni wedyn i weithio ar y tir. Canu cân Meic Stevens. 'Byw yn y wlad, byw yn y wlad'. A dyna i chi wlad. Erwau o dir yn ymestyn i bob cyfeiriad.

'Mi sydd fachgen ieuanc, ffôl
Yn byw yn ôl fy ffansi,
Myfi'n bugeilio'r gwenith gwyn
ac eraill yn ei fedi'.

Dai Jones, be fydde ti'n feddwl o hyn?

Ond beth am farn yr Indiaid am y fro? Mae'r farn honno i'w chael mewn llyfr a ysgrifennwyd gan un ohonyn nhw.

'The Crow country is a great country,' meddai'r awdur Indiaidd. 'The Great Spirit has put it in the right place. When you are in it, you fare well. Whenever you get out of it, wherever you travel, you fare worse.'

Roedd ceffylau'n rhedeg yn rhydd ar hyd y bryniau. Cannoedd ohonyn nhw. Gwanwyn yn Wyoming, a mwy nag arfer i'w wneud. Cywain gwair, tendio'r gwartheg a'r ceffylau. Roedd diwrnod ym mywyd y cowboi modern yn ddiwrnod llawn iawn.

Cymysgu bwyd i'r lloi oedd y dyletswydd nesaf. A'r bois yn cnoi yn eiddgar. Nid gwm ond baco. Nid cnoi chwaith, ond sugno. Ei ddal rhwng y tafod a'r dannedd. Fe dderbyniais i'r cynnig i brofi'r stwff. Roedd e fel cnoi deinameit.

Cyfle nesa i wneud rhywbeth wnes i freuddwydio am ei wneud yn blentyn, cael marchogaeth yng nghwmni cowbois iawn i hela a didoli'r lloi. Y bois yn defnyddio rhaff i ddal y creaduriaid er mwyn eu harchwilio nhw. Teimlo fel petawn i ar yr High Chapparal. Cael y cyfle i reslo â llo. Y llo enillodd.

Pan sefydlodd Otto von Frank ei ransh yma ddiwedd y ganrif cyn y diwethaf roedd Wyoming yn lle gwyllt iawn. Yn ôl cyfrol gan Jack Turnell, perchennog presennol y Pitchfork, dywedir fod hyd yn oed Butch Cassidy wedi dial ar Otto von Frank drwy gipio hanner ei wartheg a'u gyrru ar draws y Diffeithwch Coch i Utah. Dyna pryd y gwnaeth Butch grynhoi nifer o ddynion o'r un anian ag ef a sefydlu'r Hole in the Wall Gang. Ac er fod hen gaban cysgu'r ranch erbyn hynny yn wag ac yn dawel, roedd modd dychmygu fod yr hen wylliaid yn dal yno.

Fe ges i'r fraint o fynd i mewn i'r caban lle bu Butch yn cysgu. Fe ges i'r fraint o eistedd ar sêt y tŷ bach lle bu Butch yn ... wel ... yn darllen, ac yfed yn yr un salŵn lle cafodd Butch ei arestio. Yno fe ges i gwmni Trailtown Cody, a oedd yn gwybod y stori. Enw'r lle bellach oedd y Cowboy Bar and Café, lle, yn ôl yr arwydd uwch y drws, y gwnâi pawb gwrdd â rhywun arall. Yn ôl Cody roedd 56 o dyllau bwledi yn dal yn y welydd a'r to ynghyd ag un twll cetrisen.

Fe arestiwyd Butch yno ym mis Mehefin 1894 a'i gyhuddo o ddwyn tri cheffyl. Fe'i cymerwyd gyntaf yn Star Valley a'i roi ar brawf i ddechrau am ddwyn un o'r ceffylau. Fe'i cafwyd yn ddieuog. Yna fe'i hail arestiwyd yn y bar a'i ddwyn yn ôl i Lander lle cafwyd ef yn euog a'i garcharu, yr unig dro iddo fod dan glo erioed.

Roedd perchennog y Pitchfork, Jack Turnell, yn ansicr o'i ddyfodol. Oherwydd ffrae deuluol a'r ffaith nad oedd ffermio bellach yn talu fel y dylai, roedd e wedi cael digon o'r fferm lle ffilmiwyd pob hysbyseb *Marlborough* a wnaed erioed. Roedd y lle, gwaetha'r modd, ar werth.

Roedd Jack yn nodweddiadol o lawer o Americanwyr rwy

wedi cwrdd â nhw. Roedd e'n wybodus iawn am ei wlad ei hun, yn adnabod yr Arlywydd, yn ffrindiau mawr â Jimmy Carter. Ond wyddai e fawr ddim am y byd mwy oedd y tu allan i'w fyd mawr ef. Pan wnes i esbonio iddo fe fy mod i'n dod o Gymru, ei gwestiwn nesaf oedd, '*Is that a tax haven?*' A fedrai e ddim dygymod â'r ffaith nad oedd Cymru'n rhan o Loegr a'n bod ni'n siarad iaith wahanol.

Un noson fe wahoddodd Jack ni i ginio i'w gartref personol. Yn anffodus, roedd angen teithio 200 milltir cyn medru prynu potel o win. Yn wir, fe gymerai dri chwarter awr i gyrraedd y ffordd fawr. Beth bynnag, dyma'r prif gwrs yn cyrraedd, yr hyn a ddisgrifiwyd gan Jack fel 'Rocky Mountain Oysters'. Fedrwn i ddim credu fod modd cael wystrys allan yn yr ardal wledig hon o Wyoming. Ond pan gyrhaeddodd y bwyd, yno ar y plât doedd dim arwydd o wystrys, dim ond pentwr o dalpiau o gig digon rhyfedd. A Hughes yn gofyn yn slei bach, 'Be 'di rhain?' A finne'n sibrwd 'nôl, 'Llwyth o geilliau teirw.' A dyna'n union beth oedden nhw. Yn anfoddog iawn y gwnaethon ni eu bwyta nhw.

Mae teithio'r byd, yn naturiol, yn golygu dod ar draws bwydydd a diodydd rhyfedd iawn. Yn Fietnam fe wnes i yfed Gwin Pen Sarff. Roedd pen sarff, yn llythrennol, yn y botel. Ac wrth i'r botel wagu, roedd y pen yn dod i'r golwg. Ac oes raid sôn eto am halibwt yr Inuit? Nag oes.

Un o hawliau sylfaenol y cowboi yw'r hawl i gario gwn. Ac roedd gan Jack ddau neu dri ohonyn nhw. A dweud y gwir roedd ganddo fe lond cefn ei jîp ohonyn nhw. Yn eu plith roedd *Magnum 357*. Fe ges i wers gan Jack mewn saethu caniau Coke a oedd yn hongian yn erbyn wal un o'r adeiladau. Dyma anelu a thanio. Bu bron i gic y gwn dynnu 'mraich i o'r gwraidd.

Y gwn nesaf i'w brofi oedd *SKS*, oedd, mae'n debyg, yn boblogaidd gan y Tseineaid. Gwn rhannol-awtomatig. Fe daniodd Jack ddeg bwled mewn llai na chymaint â hynny o eiliadau gan fy rhybuddio rhag blaen fod y glicied yn sensitif iawn. Gwell hwyl y tro hwn. Fe wnes i fethu'r caniau ond o leiaf fe wnes i hitio'r adeilad. Roedd twll yn y pren yn profi hynny, twll bach lle'r aeth y bwled i mewn, twll mawr lle'r aeth hi mas.

Cyfle wedyn i farchogaeth yng nghwmni Jack. Oedd yna eirth yn yr ardal? Oedd, ym mhobman. Oedden nhw'n rhai mawr? Oedden, yn dalach na'r ceffylau oedden ni'n eu marchogaeth. Oedden nhw'n ddof? Nac oedden. O'ch dal chi, fe wnaen nhw'ch bwyta chi. Neis iawn.

Cyrraedd copaon y bryniau a marchogaeth drwy eira. Troi'n ôl heb weld na chlywed arth, diolch byth. Ond roedd gwaeth i ddod. Ar ddiwedd y dydd roedd rhaid i fi a Hughes gysgu allan mewn pabell ger tanllwyth o dân. Beth oedd yn udo yn y pellter? Arth? O'wn i ddim yn ofni. Nag o'wn. Nag o'wn? Ha! Ha! Nag o'wn i, jyst! Troi at Hughes am ychydig galondid. Ceisio codi fy nghalon i a'i galon e drwy adrodd stori'r cowboi papur brown. Fe aeth e mewn i'r salŵn yn gwisgo crys papur brown, trowser papur brown, menig papur brown. A dyma'r sheriff yn dod ato fe a dweud,

'*Hey, boi, I'm arresting you.*'

'*Why?*' medde'r cowboi papur brown. A'r sheriff yn ateb,

'*For rustling.*'

Am ryw reswm doedd Hughes ddim yn chwerthin. Hei, Al, ble wyt ti? Dere 'nôl!

Y bore wedyn, cael gwersi taflu rhaff. Gosod pen tarw wedi'i stwffio ar ben bêl o wellt a cheisio taflu'r rhaff amdano. Ymhen hir a hwyr, llwyddo. Diolch nad oedd e'n darw iawn.

Roedd hi'n ddiwrnod nodi'r lloi, diwrnod cymdeithasol yn hanes y ransh. Ac er bod yr haearn nodi poeth, ar ffurff picwarch – sef nod y ransh – yn ysu blew a chnawd y lloi doedd e ddim yn achosi loes. Wel, ddim os oeddech chi'n gwisgo menig. Teimlo'n dipyn o foi. Chi wedi clywed am Marlon Brando? Wel, fi oedd Dewi Brando. Ie, iawn, jôc wael arall.

Ar gyfer yr achlysur fe wnes i wisgo crys-T addas iawn. Ar y cefn roedd addasiad o gwpled o gerdd enwog Eifion Wyn,

'Pam, Arglwydd, y gwnaethost Gwm Pennant mor dlws
A bywyd hen gowboi mor fyr.'

Amser i adael y Pitchfork. Cyn gyrru i ffwrdd, agor y ffenest
a phoeri tuag at fwced ar y llawr. Ping! Llwyddiant! Rown i'n
gowboi! Nid cowboi papur brown ond un go iawn.

3
Y Pedwar Copa ar Ddeg

Hanner awr wedi pedwar yn y bore a chyrraedd Pen-y-pas, Gwynedd. Bore oer o Wanwyn, a'm ffrindiau eraill i gyd yn dal i gysgu'n glyd yn eu gwelâu mewn cartrefi hen bobol. Beth oeddwn i, a deugain o bobol eraill hanner-call yn ei wneud yno? Wel, wâc fach cyn brecwast. I ddweud y gwir, wâc fach o ugain milltir dros fynydd neu ddau.

Roedd hi'n ddiwrnod y Pedwar Copa ar Ddeg i Glwb Mynydda Cymru, gyda Charlie a Shane yn dal fy llaw i. Y syniad oedd cychwyn ar waelod y Bedol, fyny Grib Goch, yna dros Garnedd Ugen ac i gopa'r Wyddfa cyn dod 'nôl lawr i Nant Peris ac ymlaen dros y copaon, a oedd yn golygu 10,000 troedfedd o esgyn. Ac wrth gwrs, am bob un oedd yn mynd lan, rhaid oedd dod lawr. Ro'wn i wedi bod yn ymarfer yn brysur ac yn paratoi ar gyfer yr her yma am . . . wel, am o leiaf hanner-awr.

Yn fuan iawn, wrth ddringo'r llethrau, ro'wn i'n gofyn i fi fy hunan beth uffarn o'wn i'n ei wneud yno am hanner awr wedi pump y bore? Fe wnes i gytuno i fynd yn y lle cynta er mwyn y golygfeydd. Troi, felly, ac edrych i lawr i fwynhau'r olygfa. Ble arall gaech chi olygfa debyg? Dim byd ond niwl. Yn disgwyl amdana i ar y brig i ngyrru i lawr ar fy union roedd Shane a Charlie, neu Maldwyn Peris a George Jones, i roi iddyn nhw eu henwau iawn. Roedden nhw wedi gwneud hyn droeon o'r blaen. Ond fyddech chi'n prynu car ail-law gan y fath ddynion?

Roedd cerdded ar draws Grib Goch fel croesi to tŷ, gydag un gwahaniaeth, roedd mil o droedfeddi yn disgyn bob ochr i fi. Diolch i'r niwl, doeddwn i ddim yn medru gweld y cwymp. Cyrraedd Grib Goch. Dim ond tri chopa ar ddeg arall i fynd.

Yn sydyn fe gefais fy ysbrydoli gan Ceiriog:

Mab y ddinas ydwyf finnau
Oddi cartref lan fan hyn,
Ond mae nghalon yn y dafarn
Yn yfed wisgi bach a jin.

Yn ôl Shane, roedden ni eisoes hanner-awr i dri chwarter ar ei hôl hi. Ond dim ond rhyw ugain munud oedd rhwng Grib Goch a Chrib y Ddisgl. Cyrraedd yr ail gopa. Hawdd! Hanner-awr arall a chyrraedd y trydydd copa. Y tro hwn, copa'r Wyddfa ei hun. Hawdd eto. A'r golygfeydd yn dal yr un fath. Pawb yn synnu a rhyfeddu at harddwch a phrydferthwch Eryri yn ei holl ogoniant. Wel, fe fydden nhw petaen nhw'n medru gweld drwy'r niwl.

Teimlo'n oer ac yn wlyb. Dal ar y cyfle, felly, i newid dillad. Fel arall, teimlo'n iawn. Amser i fwyta. Y cyngor oedd bwyta ychydig, ond bwyta'n aml. Brechdan, felly.

Roedd y cymal nesaf yn golygu disgyn i lawr Cwm Hetie. A dwi ddim yn leicio mynd lawr gan nad yw fy mhenliniau i mor ystwyth ag y buon nhw. Y cysur oedd nad fi oedd yr unig un i ddechrau dioddef. Gorffen y frechdan. Brechdan domato a bara menyn feddal, laith. Cael fy atgoffa o'r brechdanau fyddwn i'n eu bwyta ar lan y môr ar drip Ysgol Sul pan o'wn i'n fach. Ond doedd dim tywod yn y frechdan hon.

Gyda ni roedd Colin Donnelly, a oedd yn dal y record am gerdded y pedwar copa ar ddeg. Cerdded ddwedes i? Roedd hwn yn rhedeg. Fe sefydlodd e'r record drwy redeg y daith gyfan, dechrau ar gopa'r Wyddfa a gorffen ar Foel Fras. A hynny mewn pedair awr, 19 munud a 56 eiliad, 'nôl yn 1988. Roedd e ar ben Grib Goch o fewn chwarter awr wedi i'r cloc ddechrau tician ar ben yr Wyddfa. Finnau'n disgyn gan bwyso ar ddwy ffon, a'r penliniau'n gwichian. Cyrraedd gwaelod Cwm Hetie, a'r tywydd a mhenliniau i, yn gwella. Ac un peth braf mewn cerdded mewn grŵp yw eich bod chi'n newid cwmni drwy'r amser. Newid cwmni, newid testun sgwrs. Ond weithiau mae peryg i chi gael eich dal mewn sgwrs d'ych chi ddim eisie'i chlywed. Fel y gwnaeth Morfudd o Fethel fy atgoffa i. Testun ei sgwrs hi oedd penliniau gwan, fy rhai i yn waeth na'i rhai hi. Ac yn waeth na dim, fe wnaeth i fi deimlo'n hynach fyth pan wnaeth hi gyfaddef iddi unwaith fod yn ffan o'r Tebot Piws. Roedd hi ar y pryd yn dair ar ddeg oed! Fe wnes i ei chynghori hi i dewi!

Erbyn hyn roedd y niwl wedi codi ac Eryri ar ei gorau. Doedd dim angen dychmygu'r olygfa bellach. Cerdded dros borfa las heibio i flodau gwylltion, lliwgar fel Bysedd y Cŵn.

Yna, wynebu'r Elidir Fawr, her y byddwn ni, gerddwyr proffesiynol, yn ei disgrifio fel 'diawledig'. Ond Charlie, chware teg, yn fy annog i ymlaen. 'Tyd yn dy flaen' medde Charlie, 'yn dy feddwl di mae o.' Nage, Charlie, yn y penliniau oedd e.

Yna'r tywydd yn troi eto. Ar ôl chwe awr a hanner, y niwl a'r glaw yn disgyn eto. Oedd rhywun yn gwybod i ble'r aeth yr haul? A dim ond pedwar copa wedi'u concro. A hithau eisoes yn bum munud i un ar ddeg.

'Nôl yn 1988 roedd Colin wedi mynd heibio i gopa Elidir o fewn awr a chwarter iddo gychwyn. Ac ymhen chwarter awr arall wedi pasio'r Garn. Fe wnes i gyrraedd y Garn gryn amser ar ôl record Mr Donnelly. Faint oedd hynna? Pum copa. Naw i fynd. Ac yn ôl Shane, dwy awr a chwarter arall cyn cyrraedd Tryfan. Ro'wn i bellach ddwy awr ar ei hôl hi.

Erbyn hyn roedd yna lai ohonon ni nag a ddechreuodd. Roedd rhai y tu blaen i ni, eraill wedi gorfod troi'n ôl. Ond ymlaen roedd yn rhaid mynd, heb amser hyd yn oed i biso. Erbyn hyn fi oedd yr olaf, a dyma ddechrau meddwl na wnawn i orffen. Cychwyn am i lawr eto. Fel arfer o dan y fath amgylchiadau fe fyddwn i'n dweud jôc. Ond nid jôc oedd hyn.

Yna fe gododd yr haul unwaith eto gan roi cyfle i ni werthfawrogi godidowgrwydd Eryri. Egwyl fach er mwyn i fi osod *LP Supports* dros fy mhenliniau, pethe glas wedi eu gwneud o lastig. Y 'supports', nid fy mhenliniau. Fe wnes i eu prynu nhw mewn siop ryw ym Mangor. Na, na, eu prynu nhw mewn rhyw siop ym Mangor. Tybed a fydde *LP Supports* yn

fodlon fy nhalu i am hysbysebu eu cynnyrch? *'LP Supports –
Maen Nhw'n Help!'*

Cyrraedd fy hoff fan i ar y llethrau, Castell y Gwynt, craig
naturiol sy'n edrych yn union fel castell. Mae'r Saeson yn galw'r
lle yn *'Castle of the Wind'*. Mae ganddyn nhw enw gwahanol ar
bobman. Dyna i chi Gwm Cneifio. Enw'r Saeson arno fe yw *'The
Nameless Cwm'*. Hynny am nad oes, iddyn nhw, enw arno fe.
Ond mae yna enw arno fe, Cwm Cneifio. Be wnewch chi â
Saeson?

Gweld yr Wyddfa yn y pellter. Cyfle i edrych yn ôl i weld ble
o'wn i wedi bod. Ailgychwyn gyda chân.

*'I love to go a-wandering
Along the mountain track . . . '*

Hwntws Rule! Dere mlân, Hughes.

Cyrraedd y Glyder Fach. Hanner y ffordd. Tryfan nesaf. Ond
cyn mynd lan, rhaid oedd mynd lawr. O'wn i ddim wedi bod
lan a lawr gymaint ers blynyddoedd. Roedd yr esgyn a'r disgyn
yn dechre dweud arna i. Dyma'r gwaethaf i fi deimlo ers i fi
ddioddef o impeteigo pan o'wn i'n fach. Na, camgymeriad.
Roedd hwn yn waeth.

O flaen y camera fe wnes i gymryd arnaf fod popeth yn
iawn. Pedwar copa ar ddeg? Dim problem. Oddi ar y camera,
teimlo fel tawn i'n marw. Erbyn hyn roedd chwech i fynd.
Ystyried yn ddifrifol rhoi'r ffidil yn y to.

Y penliniau oedd y broblem o hyd. A'r cwmni. A'r dynion
camera. Doedd gan y rheiny ddim i'w ddweud i godi nghalon i.
Do, fe fues i bron â rhoi'r gorau iddi hi. Yn wir, fe *wnes* i roi lan.
Ond fe ddaeth Charlie neu Shane, chofia i ddim p'un, â
brechdan bacwn i fi. A dyma hwnnw'n dweud 'y basa fo'n dallt
yn iawn' petawn i'n rhoi fyny gan fy mod i'n 'blydi Hwntw, te'.
Os do fe, dyma lyncu'r frechdan, ail wisgo'n sgidie a rhedeg
pum can llath lan Pen yr Ole Wen cyn cofio fy mod i wedi troi'n
lysfwytäwr yr wythnos cynt. Blydi Gogs, te!

Erbyn hyn, ar ôl cyrraedd Pen yr Ole Wen, roedd y dringo

mwyaf drosodd. Lawr y tyle fydde hi o hynny ymlaen er bod pum copa ar ôl, Carnedd Dafydd, Yr Elen, Carnedd Llywelyn, Foel Grach a Foel Fras. Jyst cadw i fynd oedd yr angen nawr.

Bwyta banana ar ben yr Ole Wen. Roedd gen i jôc addas, ond wnes i ddim mentro'i dweud hi o flaen y camera.

Cyrraedd Carnedd Dafydd, y degfed copa, a finne 'nôl i sgwâr un. Yn ogystal â mynd lan a lawr yn gorfforol, roedd yr ysbryd yn mynd lan a lawr hefyd. I'r dde, gweld yr Elen a Charnedd Llywelyn a gweddill y daith. Tipyn i fynd. Cystal oedd ailgychwyn. Tyd rŵan, Alun. Oeddwn, roeddwn i'n dechrau siarad Gogs. Y bois yn gorfod disgwyl amdana i. Ond fedrwn i ddim mynd yn gynt. Rheiny'n awgrymu jog fach i ben yr Elen. Deall fod tair awr i fynd.

Ydych chi wedi sylwi fod plant, pan maen nhw'n ansicir, yn gofyn cwestiynau dibwrpas? Dyma fi'n gofyn a oedd y dringo nesaf yn mynd i fod yn faith? 'Na' oedd yr ateb. Roeddwn i'n gwybod yn well. Dim digon o egni hyd yn oed i dynnu fy nghot. Tair awr a thri chwarter oedd amser Colin Donnelly i gyrraedd yr Elen. Dim ond hanner diwrnod yn gynt na fi. Yr haul yn mynd lawr, fel fy ngobeithion i. Roedd hi'n dechre oeri. Chware teg, roedd Shane a Charlie yn fy annog ymlaen. Ond erbyn hyn roedd pob bryncyn bach yn ymdebygu i Everest.

Roedd Colin ar ben Foel Grach mewn pedair awr a phedair munud. Fe aeth yn ei flaen i Foel Fras i gipio'r record a oedd yn dal i sefyll ddeng mlynedd yn ddiweddarach. Fe wnes innau gyrraedd Foel Grach gan adael un copa yn weddill. Ac wedyn, lawr. Byth eto! Bant â'r cart. Fe fydde'n well gen i wynebu'r Teirw Duon ar gae rygbi.

Am hanner awr wedi naw y nos, yn sydyn mas o'r niwl, ac yn ymddangos fel y Greal Sanctaidd o flaen Arthur ei hun, fe welwn i gopa Foel Fras! Y pedwerydd copa ar ddeg! O'r diwedd! Ond roedd gofyn cerdded lawr wedyn. Dwy awr ar bymtheg a hanner! Wnes i ddim meddwl y medrwn i ei gwneud hi. Ond byth eto!

Roedd un dringo arall ar ôl. Dringo i'r gwely i gysgu. Cysgu.

Ond yn fuan wedyn, y ffôn yn fy nihuno. Shane oedd yn galw. Roedd e am i ni wneud yr un peth eto gan gychwyn o fewn hanner-awr.

Help!

Wrth edrych yn ôl, fe wnes i fwynhau fy hun ar y dechrau. Wna i byth mohono fe eto, ddim tra bo twll yn fy nghrampon i. Ond roedd yna adeg pan wnes i benderfynu rhoi'r gorau iddi. Wrth ddod i lawr Cwm Idwal, fe wnes i fynd mor bell â thynnu fy sgidiau. Fedrwn i ddim mynd ymlaen. Ches i ddim unrhyw broblem mynd fyny o gwbwl yn ystod y daith. Ond roedd dod lawr yn chwarae'r diawl ar fy mhenliniau. Ac yno, ar y ffordd lawr i Gwm Idwal y digwyddodd yr eiliad ddiffiniol pan wnes i ddweud, 'Wel, dyna ni, bois, rwy'n rhoi'r gorau iddi.' Fe wyddwn i fod rhaglen i'w chael beth bynnag. Fe fedrai'r camera ddangos y gweddill yn gorffen wrth fy nangos i wedi methu. Ac fe ddweda i eto, Shane neu Charlie, yn ddiarwybod, wnaeth i fi benderfynu mynd ymlaen gyda'r gwatwar am 'y blydi Hwntw'.

Mae yna lawer o bobol wedi gofyn i fi sut o'wn i'n teimlo ar ôl cwblhau'r pedwar copa ar ddeg. Mae yna derm mynydda sy'n disgrifio'r teimlad yn berffaith – BYGYRD!

4
I'r Dwyrain i Darwin

Tiroedd Gogleddol Awstralia oedd y pellaf i fi deithio erioed o Drebôth. Awstralia, gwlad yr Aborigine a Chrocodile Dundee. Fe wyddwn i fod yr Aborigine yno o hyd. Ond Crocodile Dundee? Heb sôn am fod yno, oedd y fath ddyn yn bodoli? Neu ai cymeriad chwedlonol oedd e, wedi ei greu gan Hollywood?

Yffach, roedd yr Awstraliaid yma'n bobol hawdd eu gwylltio. Fel o'wn i'n dod mas o'r tollau yn y maes awyr, dyma'r bachan yma'n dod draw ata i. Ac un o'i gwestiynau fe oedd, *'Have you got a criminal record?'* 'Pam', medde fi, 'oes raid i fi gael un cyn galla i ddod mewn i'r wlad?'

Ar ôl tri mis o ymchwil ac ysgrifennu ffacsus, doedd dim un ateb wedi dod 'nôl o Awstralia. Ond fe fentrodd Alun a fi yno beth bynnag, a hynny i gyffiniau Arnhem Land yn y Tir Gogleddol i'r Dwyrain o Darwin. Yno roedd yr Aborigine yn dal ar eu cryfaf o ran eu diwylliant a'u ffordd o fyw. Ond beth am y dynion gwyn a ddaeth yn ddiweddarach? Beth am fois matsho newydd y bwsh yn eu trowsusau tyn a'u hysgwyddau cyhyrog? Oedd yna rywun tebyg i Crocodile Dundee yn byw yno? Oes oedd yna rai tebyg, beth oedden nhw'n ei wneud yno? Ble oedden nhw'n byw? Oedden nhw mor galed â'u delwedd Hollywoodaidd?

Cyrraedd canol Darwin, lle'r oedden ni wedi clywed am ryw fachan caled oedd yn byw yn y gwyllt. Dyn o'r enw Cowboy Bill oedd hwn. Y drafferth oedd ei fod e'n hoffi ei beint. Wydden ni ddim ble roedd e'n byw ond roedd ganddo fe dduedd i fynd o gwmpas y tafarndai, a rhaid oedd i finne wneud yr un peth wrth chwilio amdano fe. Dim sôn am Cowboy Bill yn y *Blue Heather Bar*, yn *Kitty O'Shea's*, yn y *Shenanigans* na'r *Hotel Victoria*. Ond dyma glywed ei fod e yn y *Settlers' Bar*. A dyna lle'r oedd e, yn yfed ac yn barod i siarad. Neu, yn hytrach, i adrodd. Fe wnaeth e adrodd i ni gerdd am ryw arwr lleol. Ei ddeall e oedd y broblem. Fe wnes i lwyddo i ddeall un frawddeg: '*It's not the corrugations you've got to worry about, it's the old piker bullets lying in the shade of them.*' Ceisiwch chi wneud synnwyr o hynna!

Fe wnes i ofyn i Bill sut oedd pethe wedi newid. Ei ateb e oedd mai'r hyn oedd e'n ei gasáu fwyaf am y genhedlaeth bresennol o bobol ifanc, ar wahân i'w twrw aflafar sy'n cael ei alw'n fiwsig, oedd yr Americaneiddio. Hynny oedd yn ei wylltio fe yn anad dim arall.

'Mae'r hen Awstraliaid wedi diflannu,' medde Bill yn hiraethus.

'Nôl â fi i'r *Hotel Darwin*. Dim peryg i'r Crocodile Dundee matsho, caled, ddod mewn yno. Roedd y gwesty yn hafan fach ddiogel o Brydeindod. Hynny yw, nes i fi godi copi o'r papur lleol a darllen y gwahanol benawdau. Ar y dudalen flaen: '*Wrong Man Bashed to Death*'. Y tu mewn: '*Territory Addicts Lead Way with Morphine Use*'. Wedyn: '*Drunks Hostel Full. Police Cells in Use*'. Ac yna: '*Northern Territories Army Sex Parties*'. Ac fe aeth pethe'n waeth: '*Wife in Fear of Cannibal Husband*'. Ac yna'n waeth fyth: '*Jonsy to Broadcast Live from Darwin*'. Na! Unrhyw beth ond hynna! Mas o 'ma! Glou! Ac allan â ni o'r ddinas beryglus oedd Bill wedi cael llond bol arni, ac i ddiogelwch cymharol y gwyllt.

Ddau gan milltir yn ddiweddarach, ac i mewn â ni i'r Corstir Mangrof. Roedd yna sôn fod crocodeils yn byw yno. Canfod twmpathau morgrug gwyn, hyd at bum troedfedd ar hugain o daldra. Y twmpathau, nid y morgrug gwyn, diolch byth. Hwn oedd Kakadu, un o Barciau Cenedlaethol Awstralia, ardal sy'n enwog am ei gwlyptir, milltir ar ôl milltir o gorsydd diflas, yr awyrgylch yn llaith ac yn dwym ac yn llawn pryfed.

Cyn ceisio canfod Crocodile Dundee, dyma deimlo y dylen ni geisio canfod crocodeil yn gyntaf. Dyna be mae addysg yn ei wneud i chi. Felly bant â ni dros wyneb y dŵr mewn cwch ar gyfer ymwelwyr. Gweld aderyn oedd yn cael ei adnabod fel y Jesus Bird. Pam? Am ei fod e'n edrych fel petai e'n cerdded ar wyneb y dŵr.

Ac yna, o'r diwedd, crocodeil yn codi ei ben, crocodeil dŵr hallt. Ac yn ôl yr hanes, mae crocodeil dŵr hallt yn dueddol o fwyta pobol.

Roedden ni wedi trefnu i gyfarfod ag un o wardeniaid y Parc Cenedlaethol a oedd yn mynd i'n tywys ni at graig Nuralangi. Fe fu'r Aborigine yn arlunio ar y graig ganrifoedd o flynyddoedd yn ôl a hwn oedd un o'r safleoedd pwysicaf o'i bath yn y byd. Fe esboniodd y warden y gwahanol arddulliau, a phob arddull yn adlewyrchu gwahanol gyfnod.

Roedd *o*, sef Alun, yn teimlo 'y basa fo'n beth da, de, i ddringo dros y Nuralangi', a hynny er mwyn cael lluniau da. Doedd *o* ddim yn gofidio y byddwn i'n gorfod cymysgu â'r nadredd gwenwynig a'r pryfed cop cefngoch a'r sgorpionau. Dyma feddwl sut oedd y bois yn teimlo 'nôl yn y clwb. Sgarlets am byth! Ond fyny â fi. Dring i fyny yma, dring, dring, dring. Dring-dring. Helô, pwy sy 'na?

Cyrraedd copa'r graig, lle byddai'r llwyth arbennig hwn o Aborigine yn byw. Yno ar y creigiau, mwy o luniau'r Aborigine, yn eu plith, lluniau o'r dynion Mimi, sef ysbrydion. Roedden nhw'n hir ac yn denau, ac yn ôl yr hanes yn medru cuddio yn y craciau yn y graig. Yn y lluniau roedden nhw'n dawnsio. Roedd rhai ohonyn nhw mor bell i fyny'r graig fel ei bod hi'n ymddangos y byddai hi wedi bod yn amhosib i'r Aborigine ddringo mor uchel. Yn ôl y chwedlau, roedd y dynion Mimi yn dymchwel y mynydd. Ond o gael eu darlunio, fe wnaen nhw gytuno i ailgodi'r mynydd yn ei ôl.

Teimlad od oedd dringo'r graig. A fe ddechreuodd y camera gamfyhafio heb unrhyw reswm dros wneud hynny. Yn ddiweddarach fe ddywedwyd wrthon ni fod y Nuralangi'n fynydd sanctaidd i'r Aborigine, a doedd ganddon ni ddim hawl i ffilmio yno. Oedd ysbryd y dynion Mimi yn dal yn fyw? Mae Alun yn un sydd â'i draed ar y ddaear ac yn un sy'n deall camerâu ond doedd ganddo *fo* hyd yn oed ddim esboniad am y digwyddiad.

Felly, wedi'r holl drafferth o gael caniatâd i ffilmio yn y parc am dridiau, fe dorrodd y camera ar ôl un diwrnod. Ond y newyddion da oedd fod ganddon ni gamera bach a wnâi'r tro i ffilmio pethau elfennol. Yn y cyfamser fe ddanfonwyd y camera mawr i'w drwsio i Adelaide ar yr *Australian Air Express*. Fe fydde fe 'nôl erbyn diwedd yr wythnos. Beth, felly, oedd yna i'w wneud yn y cyfamser? Peint bach? Neu ddau?

Fe ddychwelodd y camera, ac ymlaen â ni ar ein cymal nesaf. Chi wedi clywed am ffermwyr yn cwyno 'nôl adre? A be maen nhw'n ffermio? Defaid, gwartheg, moch. Ffermwyr? Ddylen nhw ddim galw'u hunain yn ffermwyr. Beth oedden nhw'n ei ffermio yma? Crocodeils!

Pâr ifanc, Nigel ac Ann oedd yn ffermio yno. A dyna lle'r oedden nhw'n bwydo'r creaduriaid drwy daflu ieir cyfan heb eu plufio i lawr eu gyddfau nhw. Draw â ni wedyn at nyth un o'r crocs. Fe wrthodais i'r cynnig i fynd yn agos at y nyth. O'wn i ddim yn hoffi golwg y fam. Sut fyddai hi'n edrych wedi i'w hwyau ddiflannu?

Yn ôl Nigel, fe gymerai hi 89 diwrnod, neu dri mis, i'w hwyau ddeor. Fe wnâi Ann farcio'r wyau meddal yn ofalus. Roedd hi am eu hailosod nhw yn eu hunion le i ddeor mewn nyth newydd. Petai hi'n eu gosod nhw wyneb i waered fe fyddai'r crocs bach y tu mewn yn boddi.

Fe wnes i ddal dau groc bach, ychydig ddiwrnodau oed, yn fy nwylo. Ond er mor fach oedden nhw roedd esblygiad wedi gofalu eu bod nhw'n hunangynhaliol o'r dechrau. Eisoes roedden nhw'n medru gweld, roedd dannedd gyda nhw – a roedden nhw'n medru cnoi. Ac yna dyma groc mawr, eu tad nhw oll, yn codi ei ben o'r dŵr. Fe allai hwnnw roi sugnad go gas i chi hefyd. Fe fedrai hwn lyncu ieir heb iddyn nhw gyffwrdd ag ochrau ei wddf. Roedd e'n ddigon mawr i lyncu'r sièd ieir yn gyfan. Dim ond gobeithio ei fod e'n hoffi blas cig cyw iâr.

Yna, fe groesodd rhywbeth fy meddwl i. Pa mor gyflym fedren nhw redeg? Cael rhyddhad wrth glywed Nigel yn dweud iddo fe lwyddo i guro pob un – hyd yma.

Fel pob fferm, gwneud arian oedd y nod. Ac roedd ffermio crocs yn ffynhonnell ariannol o ran cig ac o ran croen. Ond yn gyntaf rhaid oedd eu dal a'u pacio ar gyfer y lladd-dy. Y ffordd o wneud hynny oedd eu maglu, gosod tâp o gwmpas eu safnau ac yna eu gwthio i mewn i diwbiau hir. Wedyn gosod capiau ar bennau'r tiwbiau.

Roedd deuddeg mil o grocs ar y fferm arbennig hon. Fe gâi'r cig ei fwyta'n lleol. Ond fe gâi'r croen ei ddanfon i Ffrainc a'r Eidal. Mae pobol y gwledydd hynny yn hoffi bagiau crocodeil. Cofiwch, welais i'r un crocodeil erioed yn cario handbag.

Awydd mynd i'r tŷ bach. Dim un yn agos. Closio at ffens. Arwydd arni'n cyhoeddi:

DANGER
CROCODILES BITE
DO NOT PUT HANDS INSIDE WIRE

Iawn, nid fy llaw o'wn i am ei rhoi y tu fewn i'r weier. Mwynhau galwad natur, felly.

Am bedwar o'r gloch y prynhawn dyma dderbyn galwad ffôn oddi wrth rywun o'r enw Rod Ansell. O'r diwedd! Rod Ansell oedd y dyn y sefydlwyd y cymeriad chwedlonol Crocodile Dundee arno. Roedd angen teithio wyth awr i'r pentre lle'r oedd e'n byw, yn ymyl tref o'r enw Katherine. Roedd e'n fodlon ein gweld ni. Wyth awr o deithio heb obaith am frecwast, a dioddef pen tost ar ôl noson arall yng nghwmni Cowboy Bill. On'd ydyw ffilmio yn waith pleserus a diddorol? Bah!

Fe wnaethon ni lwyddo i gysylltu â Rod yn y lle cyntaf drwy gymeriad o'r enw Dwain Delaney o Darwin, bachan difyr iawn a oedd bob amser yn gwisgo dillad cowboi. Flwyddyn yn ddiweddarach fe dderbyniais i alwad ffôn oddi wrth Dwain. Roedd e yn Llundain ar gyfer Cwpan Rygbi'r Byd ac fe ddaeth ef a'i fab draw i Gymru i aros gyda fi. Fe wnaeth e hyd yn oed gymryd rhan yn y cwis wythnosol yn y Gardd Fôn.

Ar y ffordd i chwilio am Rod, dyma wrando ar y radio lleol

yn y car. Y prif newyddion oedd fod rhyw haint arbennig wedi taro ieir yr ardal. Fe allai fod yn waeth. O leiaf, doedd dim peryg gorfod gwrando ar Sulwyn!

Fel America, mae Awstralia'n fawr. Mae'r ffyrdd yn hir, mae'r lorïau sy'n gyrru ar hyd-ddyn nhw'n hir. Ac roedd y daith yn blwmin hir. Ond roedden ni'n gweld y pethe rhyfeddaf. Wrth ochr y ffordd fe welais i – o bob peth – gamel.

Stop i ffonio i wneud yn siŵr fod gyda ni'r cyfeiriad iawn drwy Elsie ar hyd dyffryn y Roper tuag at Roper's Bar. Ein rhybuddio y byddai angen peiriant gyriant pedair olwyn. Y ffordd yn beryglus, mae'n debyg, ar ôl glaw trwm. Ar wahân i hynny, dim problem. Ymlaen â ni.

Gadael y ffordd galed a theithio ar hyd hewl bridd, hewl goch. Deugain milltir i fynd. Pam oedd y bobol hyn yn byw mor bell o bobman? Petaech chi'n cael eich taro'n wael yn y fath le, yr unig ateb, mae'n debyg, fydde'r Flying Doctor. Ond ymhen ychydig oriau fe fydden ni yn Roper's Bar yng nghwmni Rod Ansell. Ac o'r diwedd, dod wyneb yn wyneb ag arwydd:

ROPER'S BAR
POP 11
1 ROTTWEILER
1 JACK RUSSELL
1 GUARD DOG
1 COCKATOO
(Still the same one)
HAVE A NICE DAY!

Colli'r tro. Troi'n ôl a chanfod Roper's Bar y tro hwn. Chwilio am Rod. Doedd e ddim yno. Ond roedd e wedi gadael neges yn dweud y gwnâi e ddod 'nôl yn fuan i fynd â ni i'w bentre fe. Roedd y pentre dros yr afon. A'r afon honno'n gorlifo'i glannau. Ac, yn ôl y trigolion, yn rhy beryglus i gwch bach.

Heb i ni sylweddoli hynny, roedden ni wedi pasio Rod ar y ffordd. Roedd e, yn ôl ei arfer, mewn trybini. Meddyliwch. Rod

Ansell, y Crocodile Dundee gwreiddiol, wedi bod ar sioe Parkinson, ar sioe Wogan, yn fyd-enwog. Ond ble roedd e nawr? Heb ei grys ac yn droednoeth gydag un olwyn ei gar yn sownd mewn troedfedd o fwd. A mil a mwy o glêr yn hedfan o gwmpas ei het. Ond os oedd Rod, fel arfer, mewn trwbwl fe wnâi e, yn ôl ei arfer hefyd, ddod mas 'no fe. Ond y cwestiwn i'w ofyn oedd, beth oedd e'n ei wneud yno yn y lle cyntaf? Ond doedd hwnna ddim y math o gwestiwn i'w ofyn i Mr Ansell.

Fe brofodd i ni fod yna, o leiaf, ddefnydd i wregys diogelwch yn Awstralia. Fe dynnodd un o'n car ni a'i chlymu rhwng y ddau gar fel y medren ni dynnu ei gar e mas o'r mwd.

Roedd Rod wedi cael trafferth cael ei gar at lan yr afon. Ond nawr roedd e am i ni fynd gydag e mewn cwch bach ar afon fawr oedd yn llawn crocodeils ac yn gorlifo'i glannau. Tipyn o gowboi. Ond cowboi neu beidio, yr Aborigine oedd ei bobol ef. Roedd Rod yn un o'r ychydig bobol wyn oedd wedi ei wneud yn Aborigine Anrhydeddus. Fe drodd ei gefn ar ffordd o fyw yr Awstraliaid gwyn gan fabwysiadu dull y brodorion gwreiddiol. Ond roeddwn i'n dal ddim yn meddwl llawer o'i gwch e. Roedd e fel padell ffrïo gydag injan.

Fe gawson ni gwmni tywysydd, Gilbert y Geid. Ie, geid gydag un llygad. Bant â ni ar hyd yr afon, taith o tua ugain munud i fyny'r lli. Ond y lli yn gryf a'r cwch yn fach a'r crocs yn enfawr. Beth yn y byd o'wn i'n ei wneud yn y fath le?

Yna, problem. Gormod o bwysau yn y cwch. Rhaid fu troi'n ôl i ysgafnhau'r llwyth. Ar unwaith fe gynigiais i fynd allan – ar ôl cyrraedd y lan, wrth gwrs. 'Nôl â'r cwch lawr y Roper a lan y Wilton, a'r ddwy afon mewn llif gan mai hwn oedd y tymor gwlyb.

Ar y lan roedd yno barti croeso i Alun a Rod, a bechgyn y pentre yn nofio yn yr afon. Wydden nhw ddim am y crocs oedd yn byw yno? Gwydden. Fe fydde'r crocs yn dod yno bob dydd. Ond doedden nhw ddim yn broblem.

Fe gymerodd bedair awr arall cyn i fi gyrraedd. Fi a'r camera yn cael aduniad bach. Ac fe gefais i hanes yr antur. Roedd Alun wedi mynd fyny ar y cwch. Fe drodd y cwch nôl ac fe dorrodd lawr. Wedyn fe gyrchodd Rod gwch arall. Fe dorrodd hwnnw lawr. 'Nôl, felly, at y cwch gwreiddiol. Wedyn fe dorrodd hwnnw lawr yng nghanol yr afon. Roedd Rod yn cael yr un lwc gyda'i gychod ag a gâi e gyda'i geir. Y canlyniad oedd i fi a'r parti dynnu at y lan yn syth ar draws yr afon a cherdded chwe milltir i'r pentre, sef Urapunga, dim byd mwy na gorsaf wartheg, mewn gwirionedd.

Cofiwch, fe wnes i joio. Fe welais i walabi. A dingos. Ond beth am Rod? Ddylwn i ymddiried ynddo fe? Roedd e'n barod i gymryd riscs. Nawr, petai e'n dod 'nôl gyda fi i Gaerdydd a mynd lawr Cathedral Road, fe fydde fe'n berffaith saff. Ond ydych chi'n credu fod bywyd anturiaethwr yn ddifyr? Na, chi'n iawn, dyw e ddim. Ro'wn i'n dwym, yn frwnt, yn gwynto fel sanau tramp. Ond o leiaf roedd gwell i ddod. O'm blaen roedd plasty Rod Ansell gyda chawod, jacwsi, shampên yn y ffridj.

A, wel, chi byth yn gwybod, ydych chi?

Gyda llaw, roedd Gilbert y Geid yn cael ei ystyried fel un oedd yn berchen ar y Chweched Synnwyr. Un tro fe gafodd merch ei chipio, a'r heddlu yn methu'n lân â'i chanfod hi. Ar ôl tua phythefnos fe wnaethon nhw ddod i'r casgliad iddi gael ei llofruddio. Ond doedd ganddyn nhw ddim syniad ble roedd y corff. Fe wnaethon nhw ofyn am help Gilbert, ac er fod yr ardal yn ddieithr i Gilbert, fe wnaeth e ffeindio'r corff o fewn diwrnod.

Ie, tywysydd gydag un llygad. Meddyliwch gystal geid fydde fe petai ganddo fe ddau lygad.

5
Crocodile Dundee

O ganfod y Crocodile Dundee gwreiddiol, doedd e ddim yr hyn ro'wn i wedi ei ddisgwyl. Ond ro'wn i'n edrych ymlaen at weld ei ffordd o fyw.

Y noson gynta, tra o'wn i a mab Rod a'i bartner yn cael swper wrth y bwrdd, roedd Rod ei hun yn mwynhau swper yn y gwely. Erbyn y bore wedyn fe ddechreuais i ailfeddwl amdano fe. Roedd e'n dal i ymddangos yn foi gwyllt, ond roedd ganddo fe straeon anhygoel.

Yr hyn oedd yn wahanol rhwng Rod a'i gymdogion gwyn oedd fod y bobol wyn eraill yn byw ar wahân, yn closio at ei gilydd o fewn yr un gymuned. Roedd Rod wedi dewis byw yng nghanol yr Aborigine. Dyna pam gafodd e'i dderbyn fel Aborigine Anrhydeddus, yr unig ddyn gwyn i dderbyn y fath anrhydedd. Ddim yn unig hynny, roedd e wedi cael ei hyfforddi i fod yn 'Gadatche Man', hynny yw, os oedd rhywun yn bradychu deddfau'r llwyth, roedd gan Rod yr hawl i'w dienyddio. Roedd e wedi gorfod mynd drwy bob math o ddefodau ar gyfer hynny. Roedd hynny wedi cynnwys cael ei gadw ar ddihun yn y gwyllt am wythnos gyfan. Yn wir, roedd Rod wedi dysgu a mabwysiadu holl ddiwylliant yr Aborigine, braint anhygoel i ddyn gwyn.

Ar ben hynny roedd Rod yn ddyn ffit ryfeddol. Ddim yn unig roedd e'n gryf, ond fe fedrai godi ei gorff yn gyfan o'r llawr gan bwyso ar un llaw yn unig. Doedd dim owns o fraster ar ei gorff. Roedd e' hefyd yn fardd, ac mae gen i rai o'i gerddi wedi'u fframio. Roedd e hefyd yn feddyliwr craff. Tra oedd e'n eistedd yn ei gartref yn gwylio'r pryfed tân yn gwibio o gwmpas fe roddodd i ni wers ar ddamcaniaeth Darwin am esblygiad. I'r gwynion doedd Rod yn ddim byd ond gwallgofddyn. Ond i'r Aborigine roedd e'n arwr oedd yn brwydro dros eu hawliau nhw.

'Dyw'r Aborigine ddim yn wahanol i unrhyw bobol eraill,' medde Rod. 'Fel chi Ewropeaid, mae 'na Aborigine hunanol ac Aborigine hael. Mae rhai ohonyn nhw'n ddeallus ac eraill mor dwp â sledj. Y gwahaniaeth mawr rhwng yr Aborigine a'r Ewropeaid yw diwylliant.

'Oherwydd lliw fy nghroen i, rwy yn Kajok. Petawn i'n priodi menyw Carmine, sef lliw cymysg – ac mae gen i hawl i wneud hynny – fe fyddai fy mab yn Bulline. Chaiff Bulline ddim priodi Carmine.'

Roedd mab Rod, sef Sean, yn Bulline felly, gan fod ei fam, Cherie, yn Carmine. Beth bynnag, roedd y ddau hynny yn amyneddgar iawn ac wedi hen ddod i arfer â'r syniad a'r ddelwedd o fyw gyda Crocodile Dundee. Ond pam cael ei fedyddio yn Crocodile Dundee? Roedd y stori'n mynd 'nôl i arfer Rod o botsian crocodeils, neu'r Samwn Hir â'r Dannedd Mawr, fel y byddai ef yn eu galw.

Damwain a roddodd enedigaeth i'r holl saga. Roedd Rod wedi sefydlu gwersyll ar lan afon lle nad oedd neb yn byw. Y cyfan oedd ganddo i'w gynnal ei hun oedd reiffl a dwy ar bymtheg o fwledi. Roedd hi'n adeg y tymor sych, a'r afon agosaf lle'r oedd unrhyw un yn byw oedd y Victoria, tua 180 cilomedr i ffwrdd. Yno roedd Rod yn byw oddi ar y tir gan ddisgwyl am y tywydd gwlyb.

Roedd Rod yn disgwyl y glaw cyntaf ymhen tua thri neu bedwar mis. Ar ôl tua mis fe glywodd sŵn carnau ceffylau a lleisiau pobol yn siarad. Fe nofiodd Rod yr afon a gweld ôl y carnau. Yr hyn na wyddai Rod oedd i'r bobol sylweddoli ei fod yno, ac fe ledodd y stori am y dyn rhyfedd oedd yn byw ar ei ben ei hun yn y gwyllt ac yn bodoli drwy ddal crocodeils. Y peth nesaf oedd ffilm wedi'i seilio ar fywyd Rod, ffilm a roddodd Crocodile Dundee a Paul Hogan ar y map. Pan gafodd ymddangos ar raglen Parkinson dewisodd, yn lle tâl ariannol, gael peiriant newydd ar gyfer ei gwch. Ac yn stafell y gwesty lle'r oedd yn aros ar gyfer y rhaglen fe dynnodd y peiriant yn ddarnau a'i ailosod gan adael olew dros bobman.

Roedd Rod yn ddyn ceffylau, y cyfan wedi'u dal a'u dofi ganddo ef ei hun. Fe gymerodd dridiau iddo ddilyn a dal ei geffyl cyntaf, a hynny 700 cilomedr i ffwrdd. Fe ddaliodd ddau gant i gyd gan ddod â'r goreuon – deunaw ohonyn nhw – yn ôl gydag e i'r pentref.

Roedd ceffylau, cŵn a cherbydau Rod yn allweddol i fywyd ac i gynhaliaeth y pentrefwyr yn Urapunga. Roedd bywyd i'r Aborigine yn anodd iawn a'r Cyngor Tir lleol, a oedd yn rheoli, yn gwneud pethe'n anodd iddyn nhw. Roedd Pete, pennaeth y pentre, yn awyddus i sefydlu fferm wartheg ar hen dir ei dylwyth. Ond roedd yr awdurdodau yn gwrthod gadael i'r trigolion redeg eu busnes eu hunain. Oeddent, roedd yr Aborigine yn gaeth i reolau'r dyn gwyn, a hynny ar eu tir eu hunain.

Roedd hi'n amlwg fod yr Aborigine yn cael cam. Roedd y prisiau am nwyddau yn eu siopau yn uwch na'r prisiau yn siopau'r gwynion. Roedd y llywodraeth wedi trefnu i ni gael tywysydd swyddogol, ond doedd honno, yn amlwg, ddim am i ni weld y gwir. Felly fe wnaethon ni ffilmio hebddi.

Fe wnes i ymweld ag ysgol y pentre, lle hapus iawn a'r athrawes yn frwdfrydig. Ond y peth trist oedd mai Saesneg oedd iaith y dosbarth. Chlywais i ddim gair o iaith y llwyth, a doedd y Llywodraeth ddim yn cefnogi'r iaith chwaith.

Fe gwrddais i ag un o fenywod y llwyth, Mildred. Ychydig iawn o newid a ddaethai i'w rhan hi er holl bropaganda'r Cyngor Tir a'r Llywodraeth. Y ffaith sylfaenol oedd fod yr Aborigine yn dal i fod yn israddol i bobol wyn Awstralia.

Roedd system yr Aborigine o fyw wedi gweithio'n ddigyfnewid ers deugain mil o flynyddoedd. Ond doedd yr hen ffordd draddodiadol roedd Rod wedi'i derbyn fel allwedd i'w ffordd ef ei hun o fyw ddim yn derbyn cydnabyddiaeth gan y dyn gwyn. Yn wir, prin iawn oedd y gwynion a wyddent ystyr *'walkabout'*, *'dreamtime'* a *'songline'*. Roedd y cyfan yn gwbwl allweddol i ffordd yr Aborigine o fyw. A'r *'songline'* yn arbennig yn fap meddyliol. Roedd gan bob llwyth eu cân eu hunain, a'r caneuon hynny yn dehongli'r tirwedd a'r adnoddau naturiol, cyfrinachau amddiffynnol, dulliau o hela a'r holl bethe pwysig o ran eu dull nhw o fyw.

Fe esboniodd Rod fod cân pob llwyth – ac roedd yna lawer o lwythau – yn berthnasol i dir y llwyth hwnnw. Drwy ddysgu geiriau cân eu llwyth gallai'r Aborigine wybod yn union lle'r oedden nhw ar unrhyw adeg drwy uno'r nodweddion daearyddol fyddai'n cyfateb i linell o'r gân. Drwy wybod y gân roedd hi'n bosib teithio'n ddiogel ar hyd a lled eu tiroedd. Roedd hwn, medde Rod, yn draddodiad a oedd yn holl bwysig i fodolaeth a diwylliant yr Aborigine. Byddai bradychu cân y llwyth yn medru arwain at y gosb eithaf.

'Mae'r rhan fwyaf o'r llwyth yn ddigon bodlon dysgu'r rhan o'r gân sy'n berthnasol i'w bro eu hunain yn ogystal â rhyw ychydig o'r tir ymylol,' medd Rod. 'I chwilio am wraig, mae gofyn i'r dynion weithiau deithio ymhellach o'u tiroedd, sy'n golygu dysgu mwy o'r gân. Ond petai rhywun â'i fryd ar fod yn wleidydd, ar deithio fel cerddor, ar fasnachu mewn bwyelli cerrig neu â'r awydd i grwydro'n eang, fe fyddai angen iddo, yn ystod ei fywyd, ddysgu mwy a mwy o'r gân.

'Fe allai gychwyn ar yr arfordir gogleddol a theithio i fyny ac i lawr y gwahanol afonydd fel y Wilton a'r Roper, efallai, ac i mewn i ganoldir Arnhem Land ac yn ôl i gwlff Carpentaria, sy'n golygu tua dwy fil o filltiroedd. I wneud hynny fe fyddai angen dysgu'r gân i gyd. Hynny yw, dysgu tua 60,000 o eiriau a'u dysgu nhw'n berffaith. O fethu â chofio'r gân air am air, fe fyddai ar goll.'

Pleser fu cael cwmni Mildred wrth chwilio am *'bush-tucker'*, hynny yw, y bwydydd naturiol oedd i'w canfod yn y gwyllt. Fe ganfu hi rywbeth yn y ddaear a oedd yn blasu fel plwmsen. Ond fe wnaeth hi fy rhybuddio rhag bwyta'r hedyn gan ei fod e'n wenwyn. Torri rhisgl coeden wedyn, a thano roedd hylif gludiog a wnâi wella'r croen. Codi gwreiddyn yma, torri i mewn i foncyff fan draw i ganfod mêl gwyllt. Yna, bwyta ffrwyth fyddai'n glanhau'r stumog, neu'r *'binji'* yn eu hiaith nhw.

Er gwaetha'r ffaith fod gen i sgidiau lledr, cryfion, roedd y gwellt yn torri fy mhigyrnau i i'r cnawd. Eto dyna lle'r oedd Mildred yn cerdded yn gwbwl droednoeth heb ddioddef unrhyw anaf na phoen.

Fe wnes i ddysgu mai'r menywod oedd berchen popeth. Dim ond rheolwyr oedd y dynion. Ond fyddai'r menywod byth yn bychanu gwaith y dynion. Yn ôl Rod, y menywod fyddai'n gwneud y penderfyniadau roedd angen eu gwneud, a hynny gyda'r dynion yn breifat cyn eu gwthio nhw i'r tu blaen. Fe gâi'r dynion wedyn ryddid i ymarfer eu hymddygiad matsho. Ond dim ond rheolwyr oedden nhw mewn gwirionedd. Roedd cwmni Mildred fel chwa o awel iach yn chwythu drwy'r gwyllt, er na wnes i ddeall hanner yr hyn ddwedodd hi.

'Nôl i'r pentre ac i'r *Wilton Hilton*, fel y câi cartref Pete ei adnabod yn lleol. Peth anodd yw cael caniatâd i ymweld â chartre'r Aborigine. Doedd y Cynghorau Tir, y mwyafrif mawr o'r aelodau yn ddynion gwynion, ddim am i bobol o'r tu allan weld y sefyllfa. Ond ro'wn i yno ar wahoddiad Rod a Pete. Fe ddaeth gelyniaeth y trigolion tuag at y Cynghorau Tir yn amlwg wrth i ni sgwrsio. Roedd y pentrefwyr yn casáu'r polisïau caeth a gâi eu gorfodi arnyn nhw.

'R'yn ni'n gweld y peth yn digwydd o flaen ein llygaid,' medde Pete. 'D'yn ni ddim yn ddall. R'yn ni'n gweld y diwylliant yn diflannu drwy'r system. Dyw'r Cyngor Tir ddim yn hoff o Rod nac yn hoff ohono' innau.'

Breuddwyd Rod oedd gweld bywyd yr Aborigine yn gwella. Roedd e'n eithriad ymhlith y gwynion. Dyn gwyn yn sefyll dros y dyn du. A'r unig beth roedd e'n gofyn amdano oedd parch i'r brodorion, parch i'r hen ffordd o fyw. A'r gelyn oedd y Cynghorau Tir.

'Mae ganddyn nhw gyllid enfawr,' medde Rod, 'gyda llawer iawn o gyfreithwyr at eu galw. Felly, fe fyddai gofyn sefydlu consortiwm cryf iawn cyn y medrech chi eu herio nhw.'

Teimlad Pete oedd fod gormod o reolau. Mewn geiriau eraill, gormod o wleidyddiaeth. Yn ôl Rod, châi ef a Pete ddim cychwyn busnes ffermio cig, er y byddai hynny er lles y gymuned. Doedd y Cyngor Tir, medde Pete, ddim yn fodlon adfer grym i'r brodorion fel y medrent redeg eu tir eu hunain a'i ddatblygu.

'Does gan y bobol ddim hawl gwneud cytundeb busnes heb ganiatâd y Cyngor Tir,' medde Rod. 'Dim ond y Cyngor Tir sydd â'r hawl. Mae hynny yn golygu rhoi grym yn nwylo pobol sydd ddim yn byw yma, sydd ddim yn gwybod be sy'n digwydd yma.'

Ond pa ddrwg fyddai caniatáu i Rod a Pete redeg eu busnes eu hunain? Yr ateb oedd y byddai hynny'n rhoi gormod o rym i'r Aborigine, yn ôl ffordd y Cyngor Tir o feddwl.

'Mae dulliau'r Cyngor Tir yn newid o flwyddyn i flwyddyn,' medde Pete. 'Dyw'n dulliau ni byth yn newid, maen nhw'n ddigyfnewid byth ers i'r ddaear a'r nef gael eu creu.'

Heb yr hawl i gynhyrchu eu cig eu hunain, yr unig ffordd i'r trigolion gael cig ffresh oedd drwy fynd allan a lladd gwartheg gwyllt. A dyna a wnaethon ni. Allan â ni i'r gwyllt a dechrau dilyn buches o wartheg gwylltion, pob un o'r dynion yn cario dryll. Am ddwy awr fe wnaethon ni ddilyn Rod, a oedd ymhell o'n blaenau. Roedden ni'n medru dilyn ei olion e yn y borfa tra oedd ef yn dilyn olion y gwartheg. Yna sŵn ergyd. A draw â ni i weld y canlyniad. Yna ergyd arall. Canfod Rod yn gorffwys wrth ymyl eidion marw. Ond pam dwy ergyd?

'Ar ôl yr ergyd gyntaf, fe drodd e arna i. A fe fu'n rhaid i fi danio ergyd arall i'w ladd e. Mae eidionau mawr yn medru bod yn haerllug. Unwaith y gwnân nhw sylweddoli eich bod chi'n eu tracio nhw, maen nhw'n dechrau eich tracio chi.'

Yn y cyfamser roedd un o'r dynion yn mwytho pen yr eidion marw. Pam?

'Er mwyn cydnabod wrth ein duwiau i ni ladd yr anifail, a bod gyda ni reswm da dros wneud hynny,' medde Rod. 'Hynny yw, i ni ei ladd er mwyn bwyd yn unig. Roedd y gŵr ifanc yn rhwbio'i chwys ei hun i gorff yr eidion gan gyfnewid chwys a chyfnewid arogleuon.'

Fe aeth Rod ati i hogi ei gyllell nes ei bod hi'n ddigon miniog i eillio'r blew oddi ar ei fraich. Yna fe aeth ati i dorri croen yr eidion o'r cefn i'r pen. O dan y croen roedd y cig cochaf i fi ei weld erioed. Wedi i Rod flingo'r carcas roedd angen codi'r corff a'i hongian wrth ddwy goeden. Yna cynnau tân gerllaw er mwyn cadw'r pryfed bant. Eisoes roedd eryrod yn ymgasglu uwchben. Fe wydden nhw fod danteithion oddi tanyn nhw.

Fe dorrodd Rod y carcas yn ddarnau mawr drwy ei chwarteru. A dyma ddanfon nawr am y 'mob', sef y criw o ddynion oedd wedi ymuno â'r helfa. Eu gwaith nhw oedd llusgo'r corff i'r tryc. Gan mai tryc Rod oedd yr unig un yn Urapunga, roedd y pentrefwyr yn dibynnu arno ac yn gwerthfawrogi help a chonsýrn eu cymrawd gwyn. A pheth da oedd e i'r mob droi allan. Fe aeth y tryc yn sownd ac roedd angen eu help i'w ryddhau.

O flaen fy llygaid roedd hen ffordd o fyw yr Aborigine wedi ei hamlygu, lladd anifeiliaid a hela planhigion. Y dynion yn hela'r anifeiliaid a'r menywod yn hela'r llysiau. A phobol o bob oed yn helpu wrth i'r bwyd ar gyfer y dyddiau nesaf gael ei ddal, ei ladd a'i dorri lan. Roedd y darnau cig yn y tryc dipyn yn fwy na'r pecynnau bach parod o'r archfarchnad. Gorffen llwytho, a 'nôl â ni i'r pentre. A'r cŵn yn heidio o gwmpas y tryc i ddisgwyl eu siâr nhw.

Yna, yn sydyn, y monsŵn yn cyrraedd. Glaw yn tywallt i lawr. Yr afon yn codi ac ofn nawr na fedren ni adael drannoeth. Swatio yn y caban ar y noson olaf. Chware cardiau. Beth arall oedd i'w wneud? Doedd dim teledu, dim pictiwrs – a'r dafarn agosaf bedair awr i ffwrdd.

Yna, mor sydyn ag y dechreuodd, y glaw yn peidio â thrannoeth yn gwawrio'n ddiwrnod braf. Doedd dim unrhyw frys arnom i adael Rod a'r criw. Ar ôl dechrau drwgdybus, ro'wn i wedi newid fy meddwl yn llwyr am Rod. Wir, ro'wn i'n teimlo'n drist wrth orfod ei adael. Ond mynd fu raid.

Ein bwriad gwreiddiol oedd aros gyda Rod am un noson. Fe drodd yr un noson yn wythnos. Dim ond un crys ac un pâr o drowser oedd gen i ar gyfer yr ymweliad. Diolch byth nad oedd y rhaglen yn un 'Smellorama'.

Wedi i ni gyrraedd y ffordd galed, ffarwelio â Rod. Pennod arall wedi ei chwblhau. Rod ar y ffordd i Darwin, ninnau'n troi am Alice Springs.

Nid dyna ddiwedd y stori. Wyddwn i ddim bryd hynny na welwn i Rod fyth eto. Mewn caffi yn Ystum Taf oeddwn i pan ddarllenais i mewn papur newydd fod dyn wedi'i saethu'n farw gan yr heddlu mewn ardal yn y Northern Territories ar Awst y 3ydd, 1999. A dyma gofio i fi fod yno yn ffilmio. Fe wnes i ddarllen ymlaen gyda chryn ddiddordeb cyn sylweddoli mai Rod oedd y dyn. Fe wasgarwyd ei lwch yn yr ardal lle'r oedd e'n byw.

Ie, Rod Ansell, yr Aborigine gwyn, y cymeriad mwyaf i fi gwrdd ag ef erioed.

6
Top y Byd

Y syniad am gael mynd i gyffiniau mynydd ucha'r byd wnaeth
roi bodolaeth i gyfresi *Byd Pws*. Ychydig cyn i fi ddathlu fy
hanner cant oed fe wnaeth Robin Ifans o Ffilmiau'r Nant ofyn i
fi ble hoffwn i ddathlu fy mhen-blwydd. Fe wnes innau
ddweud yr hoffwn i fod mor agos â phosib at Everest. A dyma
Robin yn awgrymu ffilmio'r daith.

'Mae gen i jyst y boi fel dyn camera i ti,' medde Robin. 'Alun
Hughes yw ei enw fe a mae ganddo fe lygad da.' 'Iawn', medde
fi, 'falle fod ganddo fe lygad da, ond yn anffodus, y llall mae e'n
ddefnyddio i ffilmio.'

Y tro cynta i ni fwriadu mynd, fe fethon ni gael hawl i
deithio. Ond fe gawson ni hawl i fynd o wneud ail gais.

O'r diwedd, ar ôl disgwyl cyhyd am ganiatâd i ymweld â'r
lle, rhyfedd fu cael fy hun mewn lle o'r enw Cath Dyn Gwneud.
Ble? Ie, Cath Dyn Gwneud. Dyna, mae'n debyg, beth fydde
Ricky Hoyw yn galw Kathmandu, pentre prysura'r byd i gyd.
Ac i fi, dechrau'r daith i waelod Everest, neu i roi'r enw
brodorol arno, Sagarmatha.

Y gorchwyl anodd cynta oedd croesi'r stryd. Roedd hi'n
brysurach yno na sgwâr Treforys ar nos Sadwrn. Roedd hi'n
ganol nos ar y pryd, a'r lle'n llawn goleuadau, miwsig a chyffro.
Pobol a phlant yn pedlera popeth o fwclis i eliffantod. Modelau
o eliffantod, wrth gwrs. Ond os nad oedd y trigolion am gysgu,
roedd yn rhaid i fi wneud.

Y bore wedyn, dihuno i weld cymylau o golomennod yn
codi o'r palmentydd a gwartheg yn gorwedd yma ac acw ar
ochrau'r strydoedd. Yn wahanol i'r gwartheg, doedd
Kathmandu ddim yn eistedd yno'n gyffyrddus i'ch croesawu
chi'n urddasol. Doedd e ddim yn eich croesawu chi gyda winc
a gwên chwaith. Na, roedd e'n eich hitio chi yn eich clustiau,
eich trwyn, eich anadl a'ch llygaid. Doedd dim stop ar gyrn ceir

yn canu nac ar arogl y bwydydd hyfryd oedd o'ch cwmpas chi. A'r bobol, pob un â rhywbeth i'w ddweud – neu i'w werthu – i chi.

Dyma benderfynu cael golwg ehangach ar y lle drwy gael fy nghludo o gwmpas. Mae'n debyg i chi glywed am Rick Myall a Rick Stein. A Rick Hoyw. Wel, fe gwrddais i â'u brawd nhw, Rick Shaw. A'r gyrrwr yn brolio mai ei gerbyd e oedd y gorau yn Kathmandu.

Pentre sydd wedi tyfu i fod yn brifddinas Nepal yw Kathmandu, dinas o fwy na dwy filiwn o bobol. Mae 'na bob math o grefyddau o gwmpas y byd, a phawb yn credu yn eu duwiau arbennig eu hunain. Ond yn Nepal y gwnes i deimlo agosaf at grefydd oedd yn golygu rhywbeth i fi. Roedd hynny i'w ddeimlo yn y deml, y Bwdina. Ac mae'r Bwdistiaid yn credu bod eu crefydd nhw yn rhan annatod o'u bywyd nhw o ddydd i ddydd. Ddim yn unig maen nhw'n oddefgar tuag at bob crefydd arall, maen nhw hefyd yn derbyn pawb gyda gwên a chroeso. A dyna beth sy'n nodweddiadol ohonyn nhw, y ffaith eu bod nhw'n medru chwerthin a chwarae yng nghanol eu haddoli. O gwmpas y deml roedd haid o fwncïod. Ac o weld yr holl chwain oedd arnyn nhw fe wnes i offrymu pwt bach o weddi i ddiolch am fy mod i'n foel.

Symud ymlaen at Deml y Patina, sef teml yr Hindwiaid. Cyfle yno i gwrdd â'r Sadhus lliwgar, y dynion sanctaidd oedd yn gwneud dim byd ond eistedd o gwmpas a chodi arian ar ffyliaid fel fi am dynnu eu lluniau. Golygfa gyffredin yn y deml oedd seremoni llosgi cyrff y meirw. A'r llwch wedyn yn cael ei olchi gan y nant yr holl ffordd i lawr i'r Afon Sanctaidd, y Ganges.

Y bore wedyn, hedfan am Lukla. Fe fu raid i ni droi'n ôl deirgwaith. A dyma ddeall fod hofrennydd wedi hitio yn erbyn wal yno. A chlywed hefyd fod gwraig Sherpa Tensing wedi ei lladd mewn damwain awyren yno. Dwi ddim yn un sydd wedi hoffi hedfan erioed. A fuodd y daith i Lukla ddim yn help i'r nerfau. Dyna lle'r oedden ni, ddeng mil o droedfeddi i fyny ochr mynydd yn ceisio glanio ar faes awyr mwyaf peryglus y byd, Shyangboche. Sôn am gaca brics. Fu 'na erioed awyren â chymaint o frics ynddi. Fe wnaethon ni lanio gyda chryn ryddhad. Ond glanio i olygfeydd rhyfeddol. A'r mynyddoedd o gwmpas, pob un yn uwch na'r Wyddfa. A dim ond y gwaelodion oedd hyn.

Y broblem oedd fod yr uchder yn dechre dweud arna i, fy nghalon i'n rasio a theimlad fel petai bandyn tyn o gwmpas fy mhen. Teimlo fel chwydu drwy'r amser. Roedd e'n union fel cael rhyw gyda gwraig y ficer.

Cwrdd â Basang, ein harweinydd ni, a chychwyn ar unwaith ar y daith go iawn o'r diwedd. A'r llwybrau'n llawn porthoriaid a yaks yn cario pecynnau trwm. Ac o'n cwmpas ym mhobman, y cerrig Mani sanctaidd a'r baneri lliwgar yn gwasgaru eu neges ar y gwynt i bedwar ban byd: 'Bendith ar yr Em yn y Lotws', sef y Dalai Lama ei hun.

Roedd y llwybrau mor brydferth ac mor uchel fel ro'wn i'n teimlo mod i wedi bod yn yfed drwy'r dydd. Ro'wn i'n cerdded gyda gwên ynfyd ar fy wyneb. A phobol yn pasio yn meddwl, 'Be sy'n bod ar hwn? Ar ba gyffur mae e? Ydi fe ar intrafînys marijuana, tybed?' Roedd ambell fynydd yn gwneud i chi feddwl fod rhywun wedi symud yr Wyddfa yno, ei chysylltu â phwmp mawr a'i phwmpio fyny nes iddi fod bron â byrstio.

Dyma gyrraedd ein gwesty am y noson, gwesty tair seren. Roedd y to yn dal heb ei gwblhau. A dyna ystyr gwahanol i'r tair seren. Fe fyddai modd eu gweld nhw drwy'r to. Ond pleser pur ar ddiwedd y dydd fu cael gorffwys fy nhraed.

Bore trannoeth, a'n dau borthor ni, Shwmân a Shiai yn cario paciau o ugain pwys yr un am ddim ond dwy bunt y dydd, fe wnaethon ni symud ymlaen. Allan o'u cyflog pitw roedden nhw'n gorfod talu am eu bwyd a'u llety. Bant â ni. Roedd yr yaks yn araf, ond yn gynt na thacsis Caerdydd. A ddim cweit mor beryg. A heb fod mor ddrud.

Yn ystod y dydd fe wnaethon ni ddringo cyfanswm o dros ddwy fil o droedfeddi. Ro'wn i'n teimlo'n flinedig wrth gario pac ar fy nghefn. Ond ddim tebyg i'r bachan oedd y tu ôl i fi. Hon oedd yr olygfa fwyaf doniol i fi ei phrofi erioed. Meddyliwch, dyna lle'r o'wn i, yn brwydro am fy anadl ar uchder o dros ddeng mil o droedfeddi a'r bachan yma, a oedd tua 75 oed, yn fy mhasio i, gwên fawr ar ei wyneb, yn cerdded mor hawdd â chrwt ysgol – a ffridj ar ei gefn! Ie, ffridj! Mwy na thebyg ei fod e'n gobeithio cael trydan mewn y flwyddyn wedyn. Gyda chyfarchiad bach sydyn o *'Namaste'*, bant ag e gan fy ngadael i ymhell ar ôl. Os o'wn i ar intrafînys marijuana, ar beth oedd hwn?

Y noson honno roedd criw o ymwelwyr yn y tŷ te, lle bydde llawer o ddringwyr yn cwrdd i yfed te a sgwrsio. Yn eu plith y noson honno roedd criw o Awstria, ac un ohonyn nhw'n brolio ei allu. Ar ôl gwrando am ychydig fe wnes i adrodd yr hanes am yr hen foi yn dringo a ffridj ar ei gefn. Fe drodd y broliwr ata i yn ffroenuchel iawn gan ddweud yn llawn dirmyg, *'It must have been an empty fridge'*. Yn Nhrebôth mae ganddo ni air am bobol fel'na. Y gair yw 'Twat'. Ond dyna fe, Awstriad oedd Hitler, ontefe?

Cyrraedd Namche Bazaar. Uchder – un mil ar ddeg o droedfeddi, hynny'n cyfateb i dair Wyddfa ar ben ei gilydd. Hon oedd prifddinas Dyffryn Kumbu a chartre'r Sherpas, sef arglwyddi'r tiroedd uchel. Roedd y dre'n nythu'n fregus ar ochr y mynydd. Cyfle i fargeinio â'r Tibetiaid oedd wedi dianc o'u gwlad eu hunain rhag erledigaeth y Tsheineaid. Yma roedden nhw'n disgwyl i chi fargeinio gyda nhw, ac roedd bargeinio yno'n grefft. Fe wnes i brynu dau bâr o glust-dlysau am bumpunt. Roedden nhw werth tua deg ceiniog yr un. Felly fe wnes i fargeinio tuag i fyny dros bedair punt. A, wel.

Fe aethon ni i farchnad y dre ar fore dydd Sadwrn, a'r lle yn orlawn. Methu deall pam nad oedd neb yn dod yn agos ata i. Sylweddoli fy mod i'n sefyll yng nghanol tŷ bach agored y farchnad.

Ac yng nghanol hyn i gyd, pwy wnâi gredu y gwnawn i gwrdd â rhywun o Walia. Roedd Cymru yn chwarae rygbi yn erbyn Lloegr drannoeth a dyma fi'n cwrdd â bachan o Faesteg. A dyna lle'r oedden ni'n sgwrsio â'n gilydd dros gefn buwch, y fi un ochr iddi a fe yr ochor arall yn trafod gêm rygbi Cymru.

Drannoeth ro'wn i bron marw eisiau gwybod y canlyniad. Roedd gen i set radio ond roedd hi wedi torri. Doedd neb o gwmpas a allai ddweud y canlyniad wrtha i. Yna, yn sydyn, wrth gerdded un o'r llwybrau fe wnes i glywed rhywun yn siarad ag acen Gymreig. Dyma fi'n gweiddi a gofyn a oedd perchennog y llais yn Gymro. *'Yes, from Ponty,'* medde'r bachan. A dyma fe'n torri'r newyddion hyfryd fod Cymru wedi ennill. *'We stuffed 'em,'* oedd y geiriau wnaeth e'u defnyddio, er mai dim ond 32-31 oedd y gwahaniaeth pwyntiau.

Mae gen i dâp fideo o'r gêm, a phan fydda i'n teimlo'n isel fe fyddai'n chware'r tâp jyst er mwyn ailfwynhau cais Scott Gibbs. A phan fydda i farw rwy am i fy llwch i gael ei wasgaru dros Scott Gibbs.

Y sioc nesaf oedd gwylio diwedd ras marathon Everest a gweld Cymro Cymraeg yn croesi'r llinell yn gyntaf. Roedd hi'n anodd credu fod Steve Barnard, ddau ddiwrnod yn gynharach, wedi bod yn sâl iawn. Roedd e bum mil metr i fyny pan ddihunodd e'n wan iawn gyda chur yn ei ben yn ystod y nos. Yn ôl y doctor, roedd e'n dioddef o *'cerebral oedema'*, salwch peryglus. Ond fe ymunodd â'r ras, sy'n cael ei rhedeg bob dwy flynedd, ac fe lwyddodd.

Nid dyna ddiwedd y stori. Credwch neu beidio, y ferch gyntaf i groesi'r llinell yn Namche oedd Dawn Kenwright o Lambed. Roedd hi wedi ennill Marathon Everest ddeng mlynedd yn gynharach hefyd.

Yno hefyd roedd menyw o Gymru, Delyth Richards oedd yn feddyg ac yn siarad Cymraeg. Fe wnes i esbonio wrthi fy ofn o salwch uchder. Y symptomau cyntaf, medde hi, oedd cur pen, teimlo'n dost, ddim eisiau bwyta. Os hynny, ro'wn i'n diodde o salwch uchder bob nos Sadwrn. Cael cyngor ganddi i yfed digon. Ond dim alcohol. A dim teithio'n rhy gyflym. Dilyn yr yaks oedd yr ateb, medde hi. Mynd yn hamddenol fel nhw. Roedden nhw'n gwybod yn union pa mor gyflym i fynd.

Mae'n rhyfedd fel mae rhywun yn cwrdd â Chymry ym mhobman. Ar y ffordd 'nôl o Awstralia fe wnes i drefnu i gwrdd â Rhiannon, y wraig, yn Bali. Wrth i ni gerdded ar y traeth dyma ryw fachan yn dod fyny a dweud, 'Shwd wyt ti, Pws.' Bachan o'r enw Cemlyn oedd e. Yn nes ymlaen fe wnes i gyfarfod â phedwar o'r Terfeliaid a mynd am beint gyda nhw. Dwi ddim yn cofio beth ddigwyddodd wedyn. Yn Alice Springs wedyn fe wnes i neidio i mewn i bwll nofio am saith o'r gloch un bore. A dyma'r bachan yma'n fy nghyfarch i wrth fy enw. Bachan o Lanberis oedd e.

Beth bynnag, am chwech o'r gloch y bore wedyn yn Namche Bazaar, fe wnaethon ni ddringo bryn cyfagos. A dyna lle'r oedd e yn ei holl ogoniant, yr Un Mawr ei hun, Sagarmatha. Yn ôl amcangyfrif Huws, roedd e tua chwe milltir ar hugain i ffwrdd ond yn edrych yn anferth. Fedrwn i ddim credu ei fod e mor enfawr, mor brydferth, a'r haul yn disgleirio arno fe. A dyma feddwl, a'r tywydd mor braf lle'r o'wn i, sut fyddai hi i eistedd ar ei frig? Roedd yno wynt, a chymylau mawr i'w gweld o gwmpas y copa. Yn amlwg, roedd yr Hen Ddyn mewn tymer ddrwg. Fe wyddwn i o'r gorau nad awn i byth i'w gopa. Digon oedd mwynhau'r olygfa a'r profiad o gael ei weld. Ffantastig!

Cyrraedd Tamboche, mynachdy pwysig yn y Kumbu. Yno roedd mynachod i'n croesawu drwy chwythu drwy gregyn anferth a chreu synau rhyfedd ac afreal. Cyfle i ymuno â'r ffyddloniaid a phrofi ychydig o'u crefydd. Y mynachod yn llafarganu a tharo drymiau. Ymlacio gyda phaned o de. Ac yng nghysgod mynydd urddasol Ama Dablam y noson honno, cyfle i fi fapio'r daith yn fy meddwl, mynd i gysgu a breuddwydio am fynachod, crefydd, yr ysbryd dynol, pwrpas bywyd – a chaca yaks.

Pum diwrnod i fynd, a dechre teimlo effaith yr uchder o ddifri erbyn hyn, yn enwedig wrth groesi ceunant ddofn. Cau fy llygaid a gosod un droed yn ofalus o flaen y llall wrth fentro dros y bompren sigledig. Y noson honno, treulio'r noson yn Pangboche. Cyrraedd man gwastad a cherdded drwy lecyn oedd yn union fel parc. Ac yn dal i'w lordio hi droston ni, Sagarmatha. Erbyn hyn roedd e tua phymtheg milltir bant. Awydd rhedeg ato yr holl ffordd. Ond ar ôl hanner can llath yn unig, sylweddoli fy ffwlbri wrth i fi golli fy anadl.

Dringo eto, a dechrau dod i adnabod yr hyn oedd o gwmpas. Lhotse, Lhotse-Sha ac yna Sagarmatha, y tri mynydd i'w gweld yn glir. Ac yn y canol, Lapse, darn gwastad. Dod i adnabod fy lle. Ar hyd ymylon y llwybrau cul, miloedd ar filoedd o'r cerrig Mani sanctaidd, a gweddïau dirifedi wedi eu naddu'n gelfydd ar hyd eu hwynebau, gwaith cywrain dros gannoedd o flynyddoedd. A'r cyfan yn cynnig cysur i'r miloedd o bererinion oedd yn mynd heibio ar eu taith.

Yn hwyrach yn y flwyddyn roedd ein prif Sherpa, Pasang, yn bwriadu dringo Cho Oyw, mynydd peryglus iawn. Er mwyn bod yn ddiogel ar y mynydd roedd angen Pujah arno fe, sef bendith gan un o'r Lamas. Roedd y Pujah yn eich cadw chi rhag peryglon y mynydd mawr. Fe wnaeth y Lama yr un peth i finne, sef lapio sgarff wen, sidan am fy ngwddw i a chyffwrdd fy nhalcen i â'i dalcen ef. Os oedd y Pujah yn ddigon da i Pasang, roedd e'n ddigon da i fi. Clymu llinyn coch wedyn o gwmpas fy ngwddw, a rhybudd i'w gadw fe ymlaen nes iddo fe bydru bant er mwyn sicrhau fod y fendith yn aros gyda fi.

Ymlaen â ni. Doedd yr ardal o gwmpas ddim wedi gweld glaw ers y monsŵn chwe mis yn gynharach. Y caeau tatw mor sych â'r Sahara, a'r ffermwyr lleol i gyd yn gweddïo am law.

Diwrnod arall o ddringo, a'r aer yn teneuo gyda phob cam. Ac o'r diwedd, pentre Dingaboche bymtheg mil o droedfeddi o uchder, maint pum Wyddfa, un ar ben y llall. Doedd y diffyg aer ddim yn effeithio dim ar y bobol leol. Dyna lle'r oedden nhw yn palu yn y pridd tenau ac yn gwasgaru had. Ac yn canu wrth eu gwaith.

Golchi ac oeri nhraed mewn ffynnon gyfagos. Roedd gweithio ar *Pobol y Cwm* lot yn haws na hyn. Mynd i mewn i'r stiwdio, dweud cwpwl o leins, cael lot o arian ac yna mynd lawr i'r dafarn a chael lot o beints, a wedyn cyrri.

Fe wnes i ddal ar y cyfle i shafio fy wyneb a mhen. A'r bobol leol yn meddwl fy mod i'n debyg i'r Dalai Lama. Dewi Lama, dyna enw da. Dwi ddim yn siŵr am y Lama, ond rwy wedi'i Dalai y rhan fwyaf o'r amser.

Yn sydyn, dod wyneb yn wyneb â chi mawr. Hwnnw'n anadlu yn fy wyneb. Yak gerllaw yn pecial. Seibiant. Gorwedd a chysgu.

Ar ôl noson o gwsg, ailgydio yn y cerdded i fyny dyffryn gwyntog oedd yn arwain heibio i'r pentre nesaf ar y daith, Lobuje. A Pasang, yn ei grys melyn a sgwarie, yn dal heb ddeall pan o'wn i'n ei alw fe'n Rupert.

Croesi afon rewllyd y Kumbu yn ofalus. Man peryglus dros ben. Yr unig ffordd i groesi oedd cerdded dros foncyff coeden oedd yn gwneud y tro fel pompren. Gwneud y croesi i edrych yn beryg bywyd o flaen y camera. Ond Pasang yn rhedeg drosodd. Roedd y blwmin Sherpas yma'n sboilo popeth.

Ger Duglha, y pentre nesaf ar ein taith, roedd nifer o gofgolofnau wedi'u codi i gofio'r trychinebau a fu dros y blynyddoedd. Roedden nhw hefyd yn ein hatgoffa ni ein bod ni ar dir peryglus. Roedd Pasang yn adnabod llawer o'r Sherpas a gladdwyd yno, yn cynnwys ewythr iddo.

Ar ôl cerdded o'r Tukla i Lobuje Lodge ym Mharc Cenedlaethol Sagarmatha, ddim ond rownd y gornel oedd pen ein taith ni, y Base Camp. Teimlo'r cyffro. Wnes i erioed deimlo'r fath gyffro o'r blaen, y blew ar fy ngwar i yn codi, a'r wên ynfyd yna yn dal ar fy wyneb. Ond oherwydd effaith yr uchder, rhaid oedd gorffwys. Roedd yr aros yn brofiad *frustrating*. Fe ges i bregeth gan Al am ddefnyddio gair Saesneg. Sori, Al, profiad rhwystredig ddylwn i fod wedi'i ddweud. Yn wir, ro'wn i mor rhwystredig, roedd e'n brofiad *frustrating* uffernol.

I wneud pethe'n waeth roedd modd gweld, o'r bryn uwchben Lubuje – a oedd yn un fil ar bymtheg o droedfeddi o uchder – draed y mynyddoedd lle'r oedd Base Camp wedi'i sefydlu. Fe fydde hi'n ddiwrnod arall cyn i fi gyrraedd.

Y bore olaf, a chwe awr o daith i Base Camp. Ymolchyd mewn bowlen o ddŵr oer cyn cychwyn. Dwy fil ar bymtheg o droedfeddi o uchder, a'r awyr denau yn dechre cael effaith ddrwg arna i. Tynnu fy anadl o waelod fy sgidiau. Cyrraedd gorsaf ymchwil yr Eidalwyr dan gysgod Pumori. A draw o 'mlaen i, Korachse. Dim ond dau dŷ oedd yno. Wel, fe gaen ni barti heno! A gêm o *blow football*, falle. Awr o orffwys cyn y cymal olaf. A dyna foethusrwydd, cael pryd o tships. Gwell hyd yn oed na rhai Pete's Eats yn Llanbêr.

Deunaw mil o droedfeddi i fyny. Maint chwe Wyddfa erbyn hyn. A'r ymdrech leiaf yn sugno fy nerth i gyd. Fe gymerodd wythnos i gerdded deng milltir ar hugain. Oedd raid i fi fynd yr holl ffordd? Oedd, neu fe fydde pawb yn tynnu nghoes i. Ymlaen, hogia!

Roedd cymaint â phump ar hugain o ymgyrchoedd wedi eu sefydlu yn Base Camp ar y pryd, y rhan fwyaf â'u golygon ar y copa. Ond fi? O'wn i jyst eisie mynd 'nôl i'r gwaelod.

Cyrraedd Base Camp, a theimlo'n ofnadwy. Ofni y byddai'n rhaid i fi fynd lawr yn syth. Diwedd y daith i fi. Ond i lawer, dim ond dechre'r daith oedd gwaelod y mynydd. Nawr 'te, darn cloi i'r camera. Ffarwél wrtha i, Dewi Morris, a ddringodd i Base Camp ac yna . . . ac yna . . . aeth adre.

Ie, adre amdani. Yn siomedig am na wnes i fedru aros yn hirach. Ond yn hapus i fi fod yno. Ac os nad yw'r Wyddfa'n fawr, mae hi'n ddigon.

7

Y Zulus

Taith gyntaf yr ail gyfres o *Byd Pws* oedd honno i Dde Affrica. Fe alla i'ch clywed chi'n gofyn, be mae hwn yn ei wneud yn teithio hanner y ffordd rownd y byd? Wel, ydych chi'n cofio'r ffilm *Zulu*? Miloedd ar filoedd o bobol dduon yn ymladd yn erbyn byddin Prydain, ac ymhlith y rheiny, dau gant o Gymry. Y Zulus yn taflu gwaywffyn ac Ivor Emanuel yn sefyll a chanu 'Gwŷr Harlech', a'i ffrindiau'n troi ato a dweud, 'Cana rywbeth maen nhw'n leicio, Ivor bach.'

Dyna pam es i yno – i ddarganfod pwy oedd y bobol yma oedd wedi ymladd yn erbyn y Prydeinwyr, ac yn arbennig yn erbyn y Cymry. A ro'wn i am wybod hefyd beth oedd ganddyn nhw yn erbyn Ivor, druan.

Ond fe ges i drafferth cyn hedfan yno. Ar ôl cyrraedd maes awyr Heathrow dyma'r fenyw ar y ddesg yn gofyn am fy mhasbort, a finne'n mynd i 'mhoced i'w nôl e. Doedd e ddim gen i. Fe fedrwn i gofio edrych arno yn y bỳs, a rhaid fy mod i wedi'i adael e yno. Felly, tra oedd Hughes yn mynd allan i Dde Affrica fe fu'n rhaid i fi fynd 'nôl i Gasnewydd i gael pasbort arall. Fe olygodd hynny i fi gyrraedd pen y daith ddau ddiwrnod yn hwyr.

Un peth ffeindies i yno oedd bod y Zulus yn medru swnio'r 'll'. Dim problem ganddyn nhw, felly, i ddweud 'Llanllechid' neu 'Llanelli'. Roedden nhw'n medru swnio'r 'll' yn well, mwy na thebyg, nag Ivor Emanuel.

Roedd Durban i'w weld yn borthladd prysur yn llawn bywyd a sŵn pobol o bob lliw a llun. Dinas isdrofannol yw hi, ac yn Feca i dwristiaid yn ogystal â bod yn gartref i tua 800,000 o ddisgynyddion Indiaidd, gyda chwarter y rheiny yn Fwslemiaid. Ac roedd effaith gwladychu yn amlwg ar y lle gan fod llawer o hen dai mawr, o'r cyfnod pan oedd yr Ymerodraeth Brydeinig yn rheoli, yn amlwg yno o hyd.

Y bwriad oedd teithio tuag at galon gwlad y Zulu, neu'r Quazulu Natal. A'r peth cyntaf i'm synnu oedd pa mor wyrdd oedd y lle. A mor fawr. Roedd e'n anferth, yn gwneud i Lanbêr edrych fel . . . wel, fel pentref.

A dyma gyrraedd a gweld mynydd Wkalamba, yn iaith y Zulu. Y Drakensberge mae'r dyn gwyn yn ei alw fe. Ac o'r fan honno, ar ddiwrnod clir, roedd modd gweld rhan helaeth o wlad y Zulu. Ac mae yna saith miliwn o Zulus yn Ne Affrica, pob un yn falch o'u traddodiadau. Rhai o'u brenhinoedd diweddaraf nhw oedd Shakazulu, Ingane, Imbande a Citshwayo. A Citshawyo oedd y prif rwystr yn erbyn bwriad Prydain i feddiannu gwlad y Zulu. Fe ddaeth pethe i ben fis Ionawr 1879, a hynny yn Isandlwana, safle un o'r trychinebau gwaethaf i ddigwydd erioed i filwyr Prydain yn y gwladfeydd. Fe gymerodd hi ddwy awr yn unig i 25,000 o Zulus ladd 1,300 o Brydeinwyr.

Yng ngolau dydd drannoeth y sylweddolodd yr Arglwydd Chelmsford, eu Cadlywydd, faint y drychineb. Fe lwyddodd y rhai a oroesodd i gyrraedd ysbyty milwrol Rorke's Drift, ac yno y digwyddodd y frwydr enwocaf yn hanes De Affrica. Er bod gynnau'r Prydeinwyr yn rhai llawer gwell a diweddarach na'u rhai nhw, fe lwyddodd y Zulus i dorri mewn i un o stafelloedd yr ysbyty. Ac yno y buon nhw'n ymladd law yn erbyn llaw gan symud o stafell i stafell nes y bu'n rhaid i'r milwyr Prydeinig oedd yn dal i sefyll ddianc drwy ffenest gefn.

Ond fe lwyddodd tua 4,000 o'r Zulus i amgylchynu tua 400 o'r milwyr Prydeinig a oedd wedi ceisio lloches y tu ôl i'r 'Biscuit-box line', sef wal anferth wedi'i chreu o sachau o India Corn a darnau o bren – unrhyw beth fedren nhw'i ffeindio. A dyma'r Zulus yn dod o bob cyfeiriad.

Roedd y Zulus wedi dechrau ymosod tua 4.30 y prynhawn. Ond erbyn 4.00 y bore roedden nhw i gyd wedi'u colli. Ddim oherwydd ffyrnigrwydd amddiffyn y Prydeinwyr, o na. Cofiwch chi fod y Zulus wedi bod yn cerdded am dridiau heb fwyd a heb gwsg ac wedi rhedeg dros y pymtheng milltir olaf.

Ac roedd hyd yn oed y Zulus yn blino weithiau. A beth wnaethon nhw ei gyflawni? Dim. Fe enillodd un ar ddeg o'r milwyr, nifer ohonyn nhw'n Gymry, Groes Fictoria am eu rhan yn y frwydr, y nifer mwyaf erioed i'w hennill mewn unrhyw frwydr.

Fe symudon ni ymlaen o Rorke's Drift i weld sut oedd y Zulus yn byw heddiw. Y noson honno, a ninnau bron â marw eisiau cysgu, dyma'r pentre cyfan yn penderfynu ein croesawu ni yn null traddodiadol y genedl, dawns a chân tan yr oriau mân.

Doedd dim llawer i'w weld wedi newid i'r ffermwyr ers dyddiau Rorke's Drift. Roedd eu bywyd nhw i'w weld yn dal yn gyntefig iawn. Dynion oedd yn gofalu am y gwartheg gan adael y menywod i drin y tir. Economi cynhaliaeth welais i yno, ac yn raddol roedd bywyd i'w weld yn gwella i'r pentrefwyr. Roedd hyd yn oed sôn am gael trydan cyn bo hir.

Menywod hefyd oedd yn paratoi'r bwyd, yn golchi a smwddo ac yn edrych ar ôl y plant. Roedd 'blenders' y Zulus yn hen – malu India Corn mewn cafn carreg – ond yn gweithio lawn cystal, os nad gwell, na rhai'r *Naked Chef*. Roedd bywyd wedi mynd yn llai traddodiadol gyda rhai o'r dynion wedi llwyddo i gael gwaith yn y dref. Ond o weld y menywod yn smwddo gan ddefnyddio harn yn dal heter poeth o'r tân, rown i'n medru cofio Mam-gu yn defnyddio'r un dull.

Roedden nhw'n defnyddio coed tân ar gyfer coginio. Breuddwyd y menywod oedd cael stôf drydan a rhewgell. Fe ddywedodd un wraig wrtha i mai'r hyn a hoffai hi fyddai cael gwaith yn y dre fyddai'n talu digon iddi fforddio prynu tanc dŵr ar gyfer y tŷ. Roedd hi'n anodd cael dŵr glân oherwydd fod y gwartheg yn baeddu'r ffynnon.

O ran y plant, wel plant yw plant ledled y byd. Roedd y rhain yn mynd i'r ysgol yn rheolaidd. Ond doedd Mami a Dadi ddim yn cario'r rhain yn y *Volvo* bob bore. Roedd y rhain yn cerdded pum milltir yno a phum milltir adre, rhai ohonyn nhw'n droednoeth.

Fe ges i gyfle i fynd allan gyda'r dynion i *shebeen*, bar answyddogol, i yfed eu cwrw nhw. Iyffach gols, roedd e'n gryf. Rhyw stwff gwyn mewn powlen anferth. O'wn i'n gocyls. A dyma Fo, sef Hughes, yn fy holi i am y Zulus. Ydych chi wedi sylwi sut mae'r Gogs yn methu dweud y 'Z'? Fe geisiais i ddysgu Hughes i ddweud 'Zulus' yn iawn. Fe wnes i adrodd cerdd fach iddo fe i'w helpu fe:

Fuzzy-wuzzy was a bear,
Fuzzy-wuzzy had no hair,
Fuzzy-wuzzy wasn't fuzzy,
Was he?

Ond yr hyn ges i gan Hughes oedd:

Fussy-wussy wass a bear,
Fussy-wussy had no hair,
So Fussy-wussy wassn't fussy,
Wass he?

Gyda llaw, y menywod oedd yn gyfrifol hefyd am godi'r tai, gan adeiladu'r waliau o laid gwlyb. Mae fy ngwraig i yn cwyno os fydd yn rhaid iddi smwddo mhants i!

Roedd adeiladau'r Llywodraeth yn dipyn mwy crand na chartrefi'r bobl gyffredin. Brenhiniaeth sydd gan y Zulus. Ac fe gawson ni ganiatâd i gyfarfod â'r Brenin ei hunan. Meddyliwch, roedd y Brenin hwn yn berchen ar bum palas a phum gwraig. A bachan bach o Drebôth yn cael caniatâd i gwrdd ag e. Roedd y Brenin wedi cael yr addysg orau mewn prifysgol ac yn medru sawl iaith. Finne'n teimlo'n nerfus iawn gan mai'r agosaf o'wn i wedi bod at y Frenhiniaeth oedd wrth eistedd yn y King's Head yn Trebôth.

Fe gyrhaeddodd y Brenin yn ei wisg draddodiadol, dillad o groen llewpart ac yn cario tarian. Fel arwydd o barch, fe wisgais i flêsyr, trowser glân a chrys a thei. Wrth sôn am hen hanes ei bobl fe soniodd am y gwahaniaeth rhwng agwedd y Brenin Cetshwayo a'r Prydeinwyr. Nod Cetshwayo 'nôl yn 1879 oedd

Fi yn ei gwmni Fo a Hi ar fynyddoedd Transylfania
(o'r chwith: Alun Hughes, Rhian Williams a finnau).

Ffugio dewrder, o tana'i does dim ond môr. A physgod.
Halibwt, wrth gwrs.

Dyma fi ynghanol y rhew a'r eira yn gwneud fy rhan dros fy ngwlad. Wel, dros Ffilmiau'r Nant, i fod yn fanwl gywir.

Pws Cassidy yn Wyoming. Ymestynna at y nefoedd, boi!

Fe fu'r bar y tu ôl i mi yn un o lochesau Butch Cassidy.

Rod Ansell (canol), y Crocodile Dundee gwreiddiol
gyda'i fab a chariad hwnnw.

Y fuwch wyllt wedi'i lladd, a Rod
wedi dechrau ei blingo.

Dyma'r unig ffordd dwi'n hoffi
nadroedd – yn farw. Yn y gwyllt yn
Awstralia yn dal sarff chwip ddu.

Yma ar un o fynyddoedd sanctaidd yr Aborigine y gwrthododd y camera weithio heb unrhyw reswm esboniadwy.

Dweud dim drwg, gweld dim drwg, clywed dim drwg. Fo a Fi yn Nheml y Mwncïod yn Nepal. Fo sydd ar y dde.

Mae yna Gymry i'w canfod ymhob man. Dyma gwrdd â dau ar lethrau mynydd ucha'r byd.

Yng Ngwlad y Sami yng nghwmni un ag enw addas tu hwnt – Eira. Ie, dyna'i enw.

Yng nghwmni Brenin y Zulu a'i gyfieithydd. Yr agosaf y bues i at frenin cyn hynny oedd yfed yn y King's Head, *Trebôth.*

Dydi bywyd y teithiwr ddim yn fêl i gyd –
Fo a Fi wedi laru ar ddisgwyl awyren arall.

Yng nghanol anialwch yr Iorddonen
yng nghwmni un o blant
y Bedouin.

Un o demlau Guatemala, a ninnau
ar drywydd hen dduw'r Maya,
y Maximón.

Ar y stryd yn Guatemala gyda rhai o'r bobl leol.

Dilyn llwybrau T.E. Lawrence a chyrraedd Petra,
y ddinas hynafol lle ffilmiwyd Indiana Jones.

Un o'm hoff gardiau post a ddanfonwyd ata i gan fy annwyl wraig tra own i ar fy nheithiau.

MOM! Mas o'ma – dianc o'r Badlands yn Dakota.

Gerllaw'r gofeb drist i laddedigion Wounded Knee yn Dakota.

Yng nghwmni Floyd Redcrow Westerman, seren Dances with Wolves.

Oes yna le i ben rhywun arall ar Mount Rushmere? Jyst gofyn.

Gyda'r camelod drewllyd yn Iorddonen

Rhian yn Nordcapp – y man mwya gogleddol yn Ewrop.

Un o'r lluniau gorau wnes i ei dynnu erioed, tad a merch yng ngŵyl y Kumbh Mela.

74

Un cawdel o liwiau sy'n edrych fel darlun haniaethol. Ond yr hyn sydd yma mewn gwirionedd yw casgliad o bebyll yn y Kumbh Mela.

Nid Mici Plwm yw hwn ond Maharishi a wnes i gwrdd yn y Kumbh Mela.

How I love you, how I love you, my dear old Swami. Canfod ffrind newydd yn y Kumbh Mela.

Fo a Fi yn arnofio ar y Môr Marw yn Iorddonen.

Sefyll islaw delw'r Crist yn Rio.

Gôl! Fe wnes i sgorio gôl gofiadwy yma yn y Maracana yn Rio – yn fy mreuddwyd.

Un arall o'm hoff luniau – gwraig yn y caeau reis yn Fietnam.

77

Fo a fi yn ystod ein hymweliad â Fietnam.

Yn Romania ar drywydd Tywysog y Tywyllwch, yr hen Dracula.

Y ffasiwn newydd yn Japan – symudiad o'r Geisha at y Gothig.

Rhian a Nkosinathi ar draeth Durban.

Rhian gyda merch fach bert Bedouin yn anialwch Iorddonen.

Gyda'r cerddorion yn Japan.
Mae'r boi yn y canol yn frawd i Lyn Ebenezer.

Stafell yn un o westyau Tokyo gyda'r waliau o bapur.

undod tra oedd y Prydeinwyr â'u bryd ar ryfel. Ond fe ymhyfrydai ef am mai ei bobol ef wnaeth drechu'r Prydeinwyr am y tro cyntaf erioed y tu allan i Ewrop. Ei freuddwyd oedd sicrhau undod i'w wlad a'r angen i'r Zulus gadw'u balchder. Dyna a'u gwnaeth nhw'n fyd-enwog, medde fe.

Fe lwyddais, diolch byth, i gynnal y cyfweliad heb ypsetio neb. A do, fe leiciodd y Brenin y blêsyr.

Wrth adael gwlad y Zulus fe wnes i feddwl fod Hughes wedi colli'r ffordd o weld arwydd yn cyfeirio at Dundee un ffordd ac at Glencoe y ffordd arall. Dyma edrych ar y map a gweld, yng nghanol enwau lleoedd brodorol fel Mthwalume a Msinisin, le o'r enw Cymru.

Ladysmith oedd y man galw nesaf, tref lle'r oedd tai crand yn amlwg iawn a phobol dduon yn gweithio yn y gerddi a'r caeau. Fe allwn i ddychmygu Dafydd Elis Thomas yn byw yn un o'r tai yma ac yn chwarae *croquet* ar y lawnt. Dim ond jocan, Dafydd.

Fe enwyd Ladysmith ar ôl gwraig Syr Harry Smith. Ei henw llawn hi oedd Juanita Maria de los Dolores de Leon Smith. Roedd yn rhaid ei galw hi yn Lady Smith. Meddyliwch rywun yn gofyn i chi, 'Ble chi'n mynd i siopa?' Wel, allech chi ddim dweud 'Rwy'n mynd lan i Lady Maria de los Dolores de Leon Smith.' Diawch, fe fydde'r siop wedi cau cyn i chi ddweud yr enw.

Fe gawson ni wahoddiad i briodas yn Ladysmith, priodas draddodiadol y Zulu. Mae e'n draddodiad, mae'n debyg, nad yw'r briodferch yn cael gwenu tan ar ôl iddi briodi. Yng Nghymru, ddim ond cyn y briodas mae'r priodfab yn gwenu.

Roedd pawb wedi gwisgo'n debyg i'n steil ni, ond tra gwahanol oedd y canu a'r dawnsio cyn y briodas. Aeth pethe ddim yn rhy esmwyth. Fe dorrodd car y priodfab a'r briodasferch lawr a fe fu'n rhaid iddyn nhw ddefnyddio'n car ni. Fel petai hynny ddim yn ddigon, wnaeth y ffotograffydd ddim troi lan. Fe ofynnwyd i fi fod yn ffotograffydd swyddogol.

Roedd Cristnogaeth wedi cael gafael cryf ar y bobol a'r

seremoni briodasol yn ddigon tebyg i'n seremoni ni. Er bod naws yr emynau'n dra gwahanol – mwy o fynd, mwy o harmoni a phawb yn cydsymud. A do, yn y dull traddodiadol gorau, fe aeth y fodrwy ar goll a'r gweinidog yn gwrthod parhau â'r gwasanaeth heb y fodrwy. Fe wnaeth y ddau gôr gadw pethe i fynd tra oedd y dadlau'n parhau. O'r diwedd fe fodlonodd y gweinidog ar fodrwy wedi'i benthyg ac fe aeth ymlaen â'r seremoni. Fe fu yna ddiweddglo hapus. Ddiwedd y prynhawn fe ddaethpwyd o hyd i'r fodrwy – yn ein car ni, o bobman!

Do, fe wnes i dynnu'r lluniau. Ac fe addawodd Huws dynnu fideo o'r cyfan. A'r ddau ohonon ni'n gweddïo y deuai'r lluniau a'r ffilm allan yn iawn. Wedi'r cyfan, mae ganddon ni, ffotograffwyr proffesiynol, ein henw da i feddwl amdano. Dyw hi ddim yn hawdd bod yn ffotograffydd proffesiynol, ond fel artist ffotograffig mae'n rhoi lot fawr o bleser i fi.

8
Y Sami

Mae Alta yn dref yng ngogledd Norwy, ac yno wnaethon ni hedfan i weld y Sami. Na, nid bachan yw Sami ond llwyth o bobol sy'n ffermio ceirw, a hynny yng nghanol rhew ac eira. Ond cwestiwn. Pam mai fi, unwaith eto, oedd yn cario'r bagiau i gyd allan o'r maes awyr?

Mae tua 40,000 o Sami yn byw yn Norwy. Ond rhwng Norwy, Sweden, Rwsia a'r Ffindir mae mwy na 70,000 ohonyn nhw. Cyn y medrwch chi gael eich ystyried yn Sami mae'n rhaid i chi naill ai siarad yr iaith, byw fel aelod o gymuned y Sami neu fod yn blentyn i rieni sy'n Sami.

Calon diwylliant y Sami yw lle o'r enw Kantokeino, a dyna fyddai'r man galw cyntaf. Y bwriad oedd cyrraedd cyn iddi nosi. Ond roedd gyrru car ar hyd y ffyrdd, wedi eu gorchuddio gan eira – a hwnnw wedi rhewi – fel gyrru ar hyd y 'Cresta Run'.

O ran ffiniau, maen nhw'n symudol. Mae gwlad y Sami yn ymestyn mor bell ag y mae'r ceirw'n crwydro. Felly does dim ffiniau swyddogol i'w tir traddodiadol. Oriau yn hwyr, fe wnaethon ni gyrraedd Kantokeino. Yn gynta fe wnaethon ni alw yn y swyddfa dwristiaid i weld pryd oedd Bryn Terfel yn perfformio. Wel, mae e'n perfformio ym mhobman arall. Doedd y swyddfa ddim ar agor. Ond roedd hi'n mynd i agor – ymhen mis.

Roedden ni wedi cyrraedd gwlad haul-canol-nos. Digon o oleuni ond dim byd llawer i'w wneud. Er, wrth weld yr holl blant oedd yno roedd hi'n amlwg fod yna o leiaf un gweithgaredd poblogaidd.

Fel ni, mae dwy iaith gan y Sami – yr iaith Norwyeg a'u hiaith leiafrifol eu hunain. A phan alwon ni, roedd honno yn ymddangos yn saff ar wefusau'r plant. Fe wnaethon ni alw mewn ysgol a chael sgwrs â'r brifathrawes, Elenia. Fe bwysleisiodd hi fod y Sami yn bobol frodorol oedd am gadw'u hunaniaeth a chadw'u hiaith yn fyw. Fe esboniodd hi hefyd fod chwe ardal Sami yn Norwy lle'r addysgir pob plentyn yn ddwyieithog. Mewn rhai ardaloedd eraill roedd dysgu iaith y Sami yn orfodol.

Diddorol oedd gweld fod gemau'r plant yn adlewyrchu pwysigrwydd ceirw ym mywyd y bobol, gemau a fyddai'n baratoad delfrydol ar gyfer eu bywyd ymhellach ymlaen. Yn wir, roedd ymron bob Sami yn berchen ar garw. Ac fe fydde'r plant yn rhedeg o gwmpas iard yr ysgol yn cario cyrn ceirw wedi eu hoelio ar ddarnau o bren gan gymryd arnynt fod yn geirw.

Fel thesbiad o fri, rhaid oedd galw yn y theatr leol. Ac mae yna theatr o safon arbennig o uchel yn Kantokeino. Mae'r diwydiant ffilmiau yn ffynnu hefyd. Yn 1988 fe enillodd y ffilm *Pathfinder* wobr Oscar am y ffilm dramor orau. Fe ffilmiwyd honno yn iaith y Sami. Ac fe ges i gyfle i gyfarfod â'r Cyfarwyddwr, Nils Gaup.

Pan oedden ni yno roedd y theatr yn dathlu ei hugeinfed pen-blwydd. A chan fod nifer o'r sefydlwyr yn heneiddio roedd Nils yn awyddus i ganfod talentau newydd. Roedd e eisoes wedi dewis tri actor newydd ar gyfer y llwyfaniad nesaf. Dywedodd y byddai ei ddrama nesaf yn seiliedig ar stori wir a ddigwyddodd yn Kantokeino yn 1850, stori am werthwyr alcohol. Fe laddwyd y gwerthwyr yn ogystal â phennaeth yr heddlu gan y trigolion mewn reiat, a thorrwyd pennau'r ymosodwyr gan yr awdurdodau.

Ond fe ddaeth hi'n amser i ni adael y dre a mynd allan i'r gwyllt i weld bywyd go iawn perchenogion y ceirw. Fe gawson ni'n harwain gan Isa. A'i ail enw fe, credwch neu beidio, oedd Eira. Afon Kantokeino o dan drwch o rew oedd y briffordd allan i'r wlad, a'r *Skidoo*, math ar fotor-beic ar sgîs wedi cymryd lle'r sled draddodiadol. Roedd yr economi leol yn dibynnu'n drwm ar geirw, ac roedd digon o le iddyn nhw grwydro.

Roedd y bobol yn byw mewn *labo*, pabell draddodiadol

ddigon tebyg i *tipi* yr Indiaid yn America. Yng nghanol y babell roedd coelcerth o dân. O tano'n ni, brigau bedw a chroen carw. O weld y tân agored, fe ddwedes i wrth Iohan, brawd Isa ein bod ni'n lwcus nad oedd y bobol iechyd a diogelwch wedi dod gyda ni. Ond rywsut, dwi ddim yn credu iddo fe ddeall y jôc.

Yn ddelfrydol, y bwriad trannoeth oedd codi am bump o'r gloch y bore, neidio allan yn noethlymun ac ymolchi yn yr eira yn y dull traddodiadol. Ar y llaw arall, na, roedd yn well gen i fynd yn ôl i gysgu a chodi ar gyfer brecwast hwyr o gig carw, lot o bîns a thatws. Wedyn roedd taith ar ein cyfer ar y sgŵter eira. Ac o feddwl am y bîns, da oedd deall y byddai Hughes y tu ôl i fi.

Doedd dim braster yn y cig a fe ges i awydd agor caffi bach a'i enwi fe'n 'Reindeers 'R Us' a gwerthu byrgyrs ceirw. Wedi brecwast roedd y gwaith i ddechre. Didoli'r ceirw. Ond roedd yna broblem – Hughes a fi. Roedd y ceirw'n dueddol i anesmwytho wrth wynto presenoldeb pobol ddieithr. Unwaith eto, doedd y bîns ddim yn help.

Fe fyddai pob gyrr yn symud gyda'r tymhorau, fel y gwnaethon nhw dros y canrifoedd. Roedd y ceirw isaf, tra oedden ni yno, yn pori tua ugain milltir y tu allan i'r dre. Cyn hir fe fydden nhw'n teithio am dair wythnos i lannau'r môr yn y gogledd i bori a geni eu lloi. Maen nhw wedi eu haddasu'n berffaith ar gyfer y tirwedd a'r hinsawdd. Dim ond dau elyn sydd ganddyn nhw – wyneb y tir wedi rhewi'n galed neu drwch trwm o eira i'w hatal rhag cyrraedd eu bwyd. Weithiau fe fydde Isa yn tyllu yn yr eira i weld a oedd bwyd yno ar gyfer y ceirw.

Mor bwysig yw'r creaduriaid fel bod cyfoeth unrhyw Sami yn cael ei fesur yn ôl nifer ei geirw. Fe fydde gofyn i Sami faint o geirw oedd ganddo fel gofyn i Mr Jones drws nesa faint o gelc oedd ganddo fe yn y banc.

Diddorol oedd sylwi hefyd mor llydan oedd traed y ceirw ac fel oedd y traed yn lledu wrth i'r creaduriaid eu gosod ar y ddaear. Traed perffaith ar gyfer cerdded ar eira. Roedd gofyn i

Hughes a finne sefyll o'r neilltu wrth i Isa ddewis carw ar gyfer tynnu sled ei nith fach. Fe fydde hwn yn rhodd iddi. Mae'r Sami yn adnabod eu ceirw drwy'r nod sydd wedi ei dorri ar glustiau'r creaduriaid, fel ffermwyr defaid yng Nghymru. Ond fe ddaeth galwad deuluol i darfu arnon ni wrth i nai Isa gael ei dderbyn yn aelod o'r eglwys leol. Ar gyfer y seremoni roedd y plentyn, Anders, i gael ei wisgo mewn dillad newydd wedi eu gwneud yn arbennig ar ei gyfer. Mae dillad traddodiadol y Sami yn rhai lliwgar, gyda llawer o goch, gwyrdd, melyn a glas a phatrymau cywrain yma ac acw, y cyfan wedi eu gwnïo â llaw.

Mae pob Sami yn honni ei fod yn arbenigo ar *ioican*, sef cyfansoddi cân fyrfyfyr. Ac fe gawson ni berfformiad gan Mare, chwaer Isa. Roedd y perfformiad yn swnio fel rhyw gymysgedd o ganu a iodlan.

Yna fe gawson ni wahoddiad i briodas gan Isa. Unwaith eto fe wisgwyd y dillad traddodiadol, a'r eglwys yn orlawn. Roedden ni yno ar adeg y Pasg, y cyfnod traddodiadol i briodi. Cyfle, felly, i arddangos yr hetiau newydd hefyd. Yn anffodus chawson ni ddim cyfle i fwynhau'r achlysur yn llawn gan i'r amser ddod i ni symud ymlaen gan ffarwelio ag Isa a'i deulu.

Pen y daith y tro hwn oedd Karasjok, prifddinas swyddogol gwlad y Sami. Yn 1989 fe gafodd y Sami eu Cynulliad eu hunain ac fe'i sefydlwyd yn Karasjok, a hynny yn groes i ddisgwyliadau llawer a oedd yn disgwyl mai yn Kantokeino y dylai fod. Tra oedden ni yno roedd y Senedd-dy ar hanner cael ei adeiladu, adeilad tal, prydferth o bren.

Prif Weinidog cynta'r Cynulliad oedd Ole Hendrik Magga, ac fe ges i'r fraint o gyfarfod ag e. 'Ole?' medde fi. 'O Karasjok,' medde fe.

Roedd Ole yn ddyn llawn balchder o'i dras. Pan oedd e'n blentyn doedd iaith y Sami ddim yn cael ei dysgu drwy'r ysgolion, meddai. Mewn rhai ardaloedd, fel yn hanes Cymru, fe gosbid y plant am siarad eu hiaith eu hunain. Am ganrif bu ymgyrch gan y wladwriaeth i ladd y diwylliant brodorol. Anodd oedd brwydro'n ôl gan fod y Sami ar wasgar mewn gwlad fawr ond eu hathroniaeth oedd peidio â gwrthryfela'n uniongyrchol ond yn hytrach fabwysiadu dulliau *guerrilla*. Roedd canlyniad yr ymgyrchu i'w weld ar arwyddion dwyieithog fel Norja a Norga a Karasjok a Kárásjohka.

Unwaith eto fe ddaeth hi'n amser i ni symud ymlaen, y tro hwn i Suomi, neu'r Ffindir i weld rasys ceirw. Dwi ddim yn un sy'n gamblo, ond fe wnes i fetio â Hughes y bydden ni yno cyn cinio. Yma eto roedd dwyieithrwydd yn amlwg ar yr arwyddion gydag enwau fel Ivalo ac Avvil, Kaamanen a Gámas, a Kaamasmukka a Gamasmohkki ochr yn ochr.

Cyn y rasys fe gawson ni bryd o fwyd, rhyw fath o gawl. A wyddoch chi beth oedd ei enw fe? Ie, Lapsgows. Fe gawson ni wybodaeth ble oedd y rasys i'w cynnal gan farman enwoca'r Ffindir. Ei enw fe oedd Lars. Lars Torders.

Fe ddaeth hi'n amser i gynnal rownd derfynol rasys ceirw Sgandinafia, yr uchafbwynt ar galendr rasio'r Sami. Fel ym mhrif rasys Gwledydd Prydain roedd y jocis yn broffesiynol ac yn hurio'u gwasanaeth i'r gwahanol berchnogion. Ond yn wahanol i'n jocis ni, nid marchogaeth oedd y rhain ond cael eu llusgo ar sgïau gan y ceirw.

Roedd dau gwrs wedi eu paratoi, un dros bellter o un cilomedr a'r llall dros ddau gilomedr, a'r cyrsiau hynny'n rhedeg dros wyneb llyn Inari. Lwcus i'r ceirw fod y llyn wedi rhewi neu rasys nofio fyddai yno. A dyna i chi gyd-ddigwyddiad. Fe wnaethon ni gwrdd â theulu oedd wedi dod yr holl ffordd o Kantokeino, perchnogion yr unig garw o Norwy i gystadlu. Bythefnos yn ddiweddarach roedd y carw arbennig hwn wedi torri record Norwy yn rhacs. Fe ddaethon nhw, felly, â'u carw i herio holl geirw'r Ffindir am y teitl Brenin y Ceirw. Y wobr – 20,000 marc, sef £1,700, digon o arian i brynu Lapsgows am fisoedd.

Roedd pawb yn edrych ymlaen yn eiddgar am y ffeinal, jyst fel yn Rasys Tregaron, ddim ond eu bod nhw fan honno yn rasio o'r Llew Coch i'r Talbot a 'nôl. Fe wnes i gael bet, ond fel arfer, colli wnes i.

Nawr roedd un ymweliad ar ôl, a hwnnw yn ôl i Norwy ac i'r Nordcapp, y pwynt mwyaf gogleddol yn Ewrop. A bant â ni drwy eira, eira a mwy o eira ar ein *Skidoos*. Mae'r Nordcapp ar ynys, ond yn hytrach na theithio ar draws y môr roedd gofyn i ni fynd oddi tano, a hynny drwy dwnnel 18 milltir o hyd.

Ar yr ochr arall, profiad annisgwyl wrth i ni gyrraedd tref brysur Honigsvag. Ddim yn unig roedd popeth dan eira, ond roedd yr eira yn dal i ddisgyn. Yna, ymlaen am y Nordcap a chael y profiad anhygoel o weld Goleuadau'r Gogledd, yr *Aurora Borealis*. Roedden ni'n teithio mewn confoi o ddau, ac fe ddaeth cân C. W. McCall i'r cof. Ydych chi'n ei chofio hi?

O, mae ganddon ni gonfoi
Yn myned dros y pàs,
Rhwng yr *avalanches*
Ac ambell i *crevasse*,
Mae'n mynd â ni i'r Nordcapp
Drwy'r eira mawr a'r rhew,
Os 'ych chi am ei gyrraedd,
Sticiwch gydag Al a Dew.

O'r diwedd, cyrraedd y Nordcapp, y pwynt mwyaf gogleddol yn Ewrop. Sut o'wn i'n gwybod ein bod ni yno? Wel, roedd arwydd yno yn dweud hynny.

Nid dyna ddiwedd y stori. Er na ddangoswyd hynny ar y rhaglen, fe gawson ni ein hedfan wedyn i faes awyr Thule, y Ganolfan Filwrol Americanaidd fwyaf gogleddol yn y byd. Roedden ni'n hwyr, ac fel roedden ni'n paratoi i lanio, roedd yr awyren oedd i'n hedfan ni 'nôl i Gymru yn codi bant!

Ac yno, mewn lle bach, bach ar ymyl Cylch yr Arctig y buon ni am bum niwrnod. Y newydd da oedd fod yno un bar. Y newydd drwg oedd fod un botel fach o gwrw yn costio pum punt. Roedd hynny'n golygu na fedren ni feddwi, felly yr unig beth amdani oedd mynd allan i gerdded.

O'r diwedd fe gyrhaeddodd awyren fechan i fynd â ni i'r maes awyr nesaf. Fyny â ni, ond o fewn pum munud o'r daith fe wnaethon ni glywed sŵn ofnadwy, rhyw bang enfawr, mwg yn ymddangos, pobol yn gweiddi a hyd yn oed yn gweddïo. Yna, dyma ryw fenyw yn gweiddi, 'Problem! Problem!'

Fe drodd yr awyren yn ôl, a Hughes a fi yn edrych ar ein gilydd yn bryderus. Wedi i ni lanio dyma glywed mai'r broblem oedd fod y rwber oedd yn selio'r drws wedi mynd o'i le. Ac yno, yn Thule, y buon ni am ddau ddiwrnod arall.

On'd yw bywyd yn medru bod yn ddiddorol weithiau?

9
Hip-Hipi Hwrê

Pan o'wn i'n ifanc flynyddoedd maith yn ôl roedd gen i arwyr. Ydych chi'n gwybod pwy oedden nhw? Nid chwaraewyr pêl-droed neu rygbi. Na, fy arwyr i oedd hipis. Dyna beth o'wn i eisie bod. Hipi. Gwallt hir, côt Afghan, sandalau. Cerdded o gwmpas a dweud, 'Hei, ddyn'. Ac roedd un lle yn allweddol i'r cyfan. A chi'n gwybod beth oedd y gair allweddol os oeddech chi am fod yn hipi? Marrakesh!

Fe wnes i freuddwydio llawer am fynd ar yr hewl i Marrakesh. Ac o'r diwedd, ro'wn i yno. Secs! Cariad rhydd! Roc a rôl! Unrhyw beth o'ch chi'n mo'yn i'w yfed! Digon tebyg i Glanllyn. Ond dim gorfod mynd i'r gwely'n gynnar. A dim Dei Tomos.

Ie, Marrakesh. Un o'r mannau mwyaf gwyllt i fi ei weld erioed. Os 'ych chi am le tawel, myfyrgar – peidiwch â mynd yno. Mae hyd yn oed yr '18 to 30s Club' wedi ei groesi fe bant o'u llyfrau.

Cofiwch, doedd pawb yno ddim yn blant y blodau. Fe wnaeth un ynfytyn geisio penio Hughes a malu ei gamera. Rwy'n prysuro i ddweud nad bachan lleol oedd e ond rhyw ffŵl o Americanwr, rhyw dropowt oedd yn meddwl ei fod e'n hipi. Rhywun oedd yn credu ei fod e'n gwybod popeth. Roedd y bobol leol yn bobol wych.

Canol a chalon y lle oedd y Souk, neu'r farchnad oedd yn mynd ymlaen am filltiroedd a milltiroedd fel ei bod hi'n anodd i chi ffeindio'ch ffordd o gwmpas. Yr hyn mae ymwelwyr yn ei wneud yw hurio tywyswyr. Ond be mae'r rheiny'n ei wneud yw eich arwain chi i'r canol ac yna hawlio mwy o arian am eich arwain chi allan. Yn ffodus, fe wnes i hurio dyn gonest, Ahmed. Gonest? Ahmed! Ahmed! Ble ti wedi mynd? Y sgamp! Fe wnes i roi arian iddo fe a dyma fe'n diflannu.

Pwrpas yr ymweliad oedd croesi'r mynyddoedd a

chyrraedd cyrion anialwch y Sahara, taith bum niwrnod yn cychwyn yn Ait Bugnas yn Nyffryn Ourika. Ar gyfer taith o'r fath roedd angen hurio mulod, cyflogi bechgyn lleol i'n harwain ni, prynu bwyd a ffeindio llefydd i aros ynddyn nhw ar hyd y daith. Yn ffodus roedd ein tywysydd ni, Mourad, yn adnabod pawb. Roedd y bobol yn deall Ffrangeg, a dyna pryd wnes i ddifaru na wnes i dalu mwy o sylw i'r pwnc yn yr ysgol yn hytrach na chware gyda'r merched y tu ôl i'r sièd feics.

Fe'n gwahoddwyd i gartre Mourad. Mwy o stafelloedd yno nag oedd mewn cwch gwenyn. A'r stafelloedd hynny'n dywyll. Cyn mynd i mewn i'r stafell fyw, tynnu fy sgidiau. Mewn un gornel roedd 'na fachan yn gwneud te, te mintys melys yn llifo allan o debot arian a oedd fel pydew diwaelod. Mewn cornel arall, boi gwahanol yn torri cnau. Y croeso'n un cynnes, a'r te a'r cnau yn rhan annatod o'r croeso.

Am ryw reswm roedd y criw yn cael hwyl fawr am fy ngwallt i. Neu yn hytrach am fy niffyg gwallt i. Ac mae gen i ryw arferiad o ddysgu'r gair brodorol am ddyn pen moel ble bynnag yr af fi. Yr enw dilornus am foelyn ym Morocco oedd rhywbeth oedd yn swnio fel 'tom-slec'. Fe wnes i ddweud hyn am fy hunan, a'r bobol leol yn chwerthin nes oedden nhw'n dost. Rwy'n gwneud fy ngorau i ddysgu ambell air neu frawddeg yn iaith y brodorion ble bynnag dwi'n mynd. Ar lethrau Sagarmatha, er enghraifft, wrth dderbyn bendith mynach fe wnes i ymateb drwy ddweud 'tw-tshe', sef 'diolch'. Roedd y peth mor annisgwyl iddo fel iddo chwerthin a chwerthin. Ond chwerthin gwerthfawrogol oedd hyn, nid gwawd. Mae gwneud rhywbeth fel hyn yn torri'r ia.

Ar ôl croeso twymgalon, ac ambell wydred o stwff clir nad o'wn i'n rhy siŵr o'i darddiad, roedd pethe'n dechre dod ynghyd erbyn bore trannoeth. Fe drodd y pentre cyfan allan i'n gweld ni'n hel ein paciau. Fe ddaeth Mourad draw i gyfarch y camera. Mewn Ffrangeg. Help mawr i raglen Gymraeg. Swm a sylwedd ei sylw oedd ei fod e'n well arweinydd na Sherpa Tensing!

Y mulod yn cyrraedd a ninnau'n eu llwytho a gadael y
pentre. Gyda'r criw o borthoriaid roedd bachgen bach wedi'i
wisgo mewn dillad traddodiadol. Rhyw fath o fascot i ni. A
Mourad yn esbonio y byddai'n rhaid i ni groesi bwlch yn uchel
yn y mynyddoedd cyn croesi i'r dyffryn nesaf. Roedd y cerdded
yn brofiad hyfryd ac fe fyddwn i'n argymell unrhyw un sydd â
diddordeb mewn cerdded i fynd ar y daith hon.

Wedi pum awr o deithio roedd y pentre yn dal yn y golwg
ymhell, bell yn y pellter. Ninnau erbyn hyn tua naw mil o
droedfeddi o uchder. Fe fedrwn i ei deimlo fe hefyd. Yn Nepal,
pan o'wn i'n cerdded yno, roedd llawer o fynd a dod ar hyd y
llwybrau. Yma, dim ond un enaid byw welson ni – dafad.

'Shwma'i, bach,' medde fi.

'M-e-e-e,' medde'r ddafad.

Dyn a dafad yn deall ei gilydd i'r dim. Roedd yr olygfa'n un
lom. Cerrig, creigiau, llwyni crebachlyd a phrysgwydd wedi
gwywo. Cyrraedd ein man uchaf ar y daith ac edrych i lawr i'r
dyffryn nesaf. Uwchlaw hwnnw, mynyddoedd yr Atlas yn codi
eu pennau'n falch. Ro'wn i'n mwynhau nawr. Dim glaw, dim
gwynt, dim gormod o uchder. Ac, yn anffodus, dim cinio. Yn
wir, wrth i fi edrych o gwmpas doedd dim sôn am neb ond fi.
Ond na, doedd dim angen gofidio. Roedd Mourad a'r bois wedi
paratoi pryd o fwyd a'i osod e allan yn deidi ar flancedi yng
nghysgod y graig. Cig oer, caws gafr, llysiau. A diferyn bach i'w
yfed. Cystal â'r cafiâr a'r shampên gorau yn y byd.

Uwch ein pennau ni roedd hebogiaid yn gwneud cylchoedd
araf yn yr awyr. O'n cwmpas ni, mynyddoedd anferth, llawer
iawn uwch na mynyddoedd Cymru. Ond llawer sychach na'n
mynyddoedd ni a ddim hanner mor wyrdd.

Ar y ffordd, cwrdd â theulu o Berbers mewn pentre dros-dro.
Pobol grwydrol yw'r rhain sy'n teithio degau o filltiroedd
gyda'u hanifeiliaid. Roedd y rhain wrthi'n bwydo'u praidd
allan ar y mynydd. Ro'en nhw hyd yn oed wedi dod â'u ieir
gyda nhw. Oedi yn eu cwmni am ychydig cyn ffarwelio â nhw
ac ailgydio yn y daith.

Fe wnaethon ni godi gwersyll cynta'r daith yng nghysgod muriau hen gastell. Treulio'r nos yno ac yn y bore ymlacio er mwyn dod i nabod y criw yn well. Fe gychwynnodd un chware'r pibau ac fe ymunodd pawb arall yn y gân drwy glatsho llestri, tuniau a phadelli. Ro'en nhw'n swnio fel y Moniars ar sbîd.

Er bod bywyd yn medru bod yn ddigon bregus yn y dyffrynnoedd, roedd rhai pethe'n para. Coeden, er enghraifft, oedd yn ddwy fil o flynyddoedd oed. Yna taro ar deulu arall o'r Berbers a oedd wrthi'n trin y tir gan balu yn y pridd er mwyn tyfu India corn a thomatos. Eraill yn codi wal gerrig a phawb yn droednoeth. A phawb hefyd yn cytuno â fi bod *Pobol y Cwm* yn uffernol.

Roedd un iaith gyffredinol ymhlith pawb welson ni – pêl-droed. Ro'en nhw wedi clywed am Ian Rush a Ryan Giggs. Ond am ryw reswm doedd neb wedi clywed am Meilir Owen. Od, hefyd. Ymlaen â ni dan ganu, a fi yn ledio'r gân.

Ian Rush, Ian Rush, Ian, Ian Rush,
Big moustache, loads of cash, Ian, Ian Rush.

Cyrraedd un arall o bentrefi'r Berbers. Yn y pellter, mynyddoedd yr Atlas dan eira. Ond yn bwysicach fyth, yn y pentre ar ddarn diffaith o dir, pyst gôl pêl-droed! Fe gafodd Mourad a fi gêm fach gan ddefnyddio carreg fel pêl.

Fe gawson ni ein gwahodd i mewn i un o gartrefi'r Berbers. Plant yn cuddio'n swil mewn corneli gan syllu'n slei bach i mewn i'r camera. Hen wraig yn nyddu ac yn parablu'n ddi-baid. A rhaid oedd cael paned, wrth gwrs, gyda'r tegell yn berwi ar dân agored ar ganol y llawr a'r mwg yn mynd allan drwy dwll yn y to.

Roedd rhai o'r merched yn gelfydd gyda'u dwylo yn gwneud tlysau o bob math. Ac fe ddalion nhw ar y cyfle i wneud ychydig o fusnes. Fe brynais i addurn wedi'i wneud o fetel. Ac erbyn i'r tegell ferwi roedd yr holl bentre wedi troi allan. Fe ddaeth hi'n amser ffarwelio â'r bobol hapus, liwgar a chroesawgar. Roedd ganddon ni sbel i fynd. Felly, bant â ni a'r doncis.

Mae gen i jôc am ddonci. Dau fachan yn mynd mewn i dafarn ac un yn gofyn i'r barman, 'Peint i fi a pheint i'r donci.' A dyma'r ddau foi yn cael peint yr un. Y diwrnod wedyn, a'r un peth yn digwydd. Y ddau yn cerdded mewn, ac un yn dweud, 'Peint i fi a pheint i'r donci.' Fe aeth hyn ymlaen am rai dyddiau nes i'r ail fachan gerdded mewn un diwrnod ar ei ben ei hun. Ac fe ddaliodd y barman ar y cyfle i'w holi fe. 'Pam mae eich ffrind yn eich galw chi'n ddonci?' A'r bachan yn ateb yn Saesneg, *'Ee-aw, 'ee-aw, 'ee-always calls me that.'* Wnâi hi ddim gweithio yn Gymraeg, wnâi hi? 'Mae e, mae e, mae e wastod yn galw hynna arna i.' Na, weithiai hi ddim.

Gorchwyl anodd oedd disgyn i lawr wyneb y mynydd i'r dyffryn islaw, ni a'r asynnod yn gorfod dilyn llwybr hir, cul a throellog nes cyrraedd y gwaelod. Wedyn, dilyn gwely ceunant, yr unig ffordd i mewn ac allan o'r dyffryn. Eira o'r mynyddoedd wedi toddi oedd y dŵr. Ac ar adegau, wedi glaw trwm, fe fydde hi'n amhosib mynd drwodd. I'r Berbers roedd yr afon yn briffordd wrth iddyn nhw deithio milltiroedd i fasnachu.

Wedi pum niwrnod yn y mynyddoedd dyma fi'n sylweddoli rhywbeth. Ro'wn i'n dihuno bob bore heb ben tost. Felly ro'wn i'n edrych ymlaen at fynd adre, cael uffarn o noson fawr a chael pen tost y bore wedyn.

Braf oedd cael cyrraedd tir glas unwaith eto a gweld y brodorion yn cywain tyfiant gwyrdd a blodau coch, pabis, siŵr o fod. Canfod coeden ffigys. Ond nid coeden ffigys gyffredin 'mo hon. Coeden ffigys y ddaear oedd hi, neu'r Terra Fig. Roedd pobol yn dwyn y ffrwyth, felly fe benodwyd gofalwyr a'u galw nhw yn Terra Fig Wardens. Am ryw reswm, doedd Hughes ddim yn credu'r stori.

Troi i mewn i ysgol lle'r oedd y plant yn llafarganu rhannau o'r Koran. Yna ailgychwyn, a'r haul erbyn hyn yn grasboeth. Fel y canodd y bardd:

Hir yw'r daith, ac och a gwae,
Heddiw yr ydwi'n nacyrd.

Dod at bentre yn crogi ar ochr y mynydd. Troi i mewn am baned a gwely. Ro'wn i ar fin mynd i gysgu pan ddaeth gwahoddiad i ni fynd i barti priodas. Parti am hanner awr wedi un y bore! Roedd y lle yn ferw gwyllt o ganu, dawnsio, curo dwylo a phawb yn joio mas draw.

Y bore wedyn, dod ar draws y siop gynta i ni weld mewn wythnos. Doedd hi ddim yn *Harrods*, mae'n wir. Cyfle i ymarfer fy Ffrangeg gwych wrth archebu potel o bop.

'*Aves-vous un pop?'*

Fel'na 'yn ni'n siarad yn Nhrebôth. Ar y wal, llun o'r tîm pêl-droed lleol. A dyna biti, Hughes yn gorfod ffilmio tra o'wn i'n yfed pop. Blasus hefyd.

Ailgychwyn a gorfod rhydio afon arall. A dim sôn am ben y daith. Hiraeth am fod yn y Gardd Fôn gyda'r bois yn yfed lagyr oer, oer.

Yna, wedi wythnos, roedden ni wedi croesi'r Atlas Uchel. Roedden ni wedi cwrdd â llawer iawn o bobol, Berber gan mwyaf. Pobol ffeind iawn ond yn cadw'u hunain iddynt eu hunain. A phwy allai eu beio nhw. Roedden ni wedi yfed galwyni o de. O'wn i ddim am weld cwpan arall am sbel.

A wyddoch chi beth dwi'n gasáu? Diweddglo hirwyntog. Felly, o'r Atlas Uchel, fe wnes i jyst edrych ar gamera Hughes a dweud 'Ta-ta.'

10
Ar Drywydd y Maximon

Gwaith ditectif aeth â fi i Guatemala yng nghanol De America. Beth yn union oedd y dasg? Wel, yn bennaf, bod yn dyst i ddathliadau'r Pasg yno. Gweld pobol. Gweld llosgfynydd neu ddau. Ymweld â'r jyngl, wrth gwrs. A hefyd gweld rhywbeth unigryw, rhywbeth oedd yn wahanol i unrhyw beth arall, canfod y Maximon, delw ryfedd iawn.

Fe wnes i waith cartref drwy ddarllen ychydig am ddinas Guatemala ymlaen llaw. Fe ddysgais i fod yno lot fawr o fygio, lot o ddwyn, lot o drais. A'r cyngor, pe byddech chi'n cael eich bygwth gan ladron, oedd rhoi popeth iddyn nhw, hyd yn oed eich car, gan y bydden nhw'n cario arfau ac yn debyg o'u defnyddio nhw hefyd. Ac o grwydro'r strydoedd swnllyd, prysur fe allwn i'n hawdd gredu hynny.

Fe gawson ni'n rhybuddio i wylio'n cefn yno. Ymhob siop roedd y gofalwyr yn cario gynnau, *'pump-action shotguns'*. Roedd Al yn cario arian wrth gefn, gwerth mil o ddoleri. Ac yn yr eglwys fe wnaeth rhywun ddwyn yr arian oddi arno tra oedd e'n ffilmio. Guatemala oedd y lle mwyaf peryglus i ni fod ynddo yn ystod yr holl deithiau.

Ond mae'n rhyfedd fel y gall bywyd newid mewn eiliad. Gadael y stryd a throi i mewn i gaffi cyfagos, y *Salon Real*. Ymlacio'n llwyr uwch diod feddal a bachan yn y gornel yn chware'r piano. Yn anffodus doedd e ddim yn gwybod 'Calon Lân'.

Yna newid mawr eto. Fy nghael fy hun yn y jyngl, yn fforest law Tikal. Fe es i yno i chwilio am El Mundo Perdita, sef y Byd Coll. Ond doedd e ddim ar goll. Yn ôl fy llawlyfr taith i, fan hyn oedd e.

Dinas y Maya yw El Mundo Perdito, ac mae eu hanes nhw yn mynd yn ôl bedair mil o flynyddoedd. Mae llawer o drigolion Guatemala heddiw yn ddisgynyddion uniongyrchol

iddyn nhw, y bobol a adeiladodd y temlau uchel sydd i'w gweld
o hyd yn y jyngl. Roedd y temlau hyn wedi chwarae rhan
ganolog yn eu bywyd nhw ac roedd yna lawer o fannau
sanctaidd ar hyd a lled y wlad, yn enwedig yno yn Tikal. Yn
anffodus doedd y Maya ddim wedi dyfeisio liffts, felly rhaid
oedd dringo cannoedd o risiau cerrig i gyrraedd brig yr
adeiladau, a oedd yn atgoffa rhywun o byramidiau'r Eifftiaid.
Ar y brig roedd pennau delwau cerrig cywrain wedi eu
naddu'n gelfydd. Roedd un ohonyn nhw yn arbennig o hagr.
Cofio'n sydyn fod yn rhaid i fi ffonio'r wraig

Allan yn Tikal fe ges i ofn mawr un noson. Roedden ni'n
cysgu mewn cytiau pren, a thua 9.00 o'r gloch y nos roedd y
generadur trydan yn mynd bant. Dyna lle'r o'wn i yn gorwedd
yn y tywyllwch dan rwyd atal mosgitos pan ddihunwyd fi gan
y sŵn mwyaf uffernol. Fe allwn i dyngu fod llond y cwt o
gorilas gwallgof. Sŵn gweiddi, sgrechian a neidio lan a lawr.
Rwy wastod yn gwisgo tortsh pen, hynny yw, tortsh wedi'i
chlymu rownd fy nhalcen, tebyg iawn i lamp glöwr. Fe wnes i
dynnu'r tortsh allan yn dawel ac yna, yn sydyn, ei switsho hi
ymlaen. Doedd dim byd yno. Ond roedd y sŵn yn parhau. Fe
wnes i weiddi ar Hughes, oedd yn y cwt nesaf, a hwnnw'n
esbonio mai achos y sŵn oedd haid o fwncïod, sy'n cael eu
hadnabod fel 'howling monkeys', ar y to.

Rwy wrth fy modd yn cysgu o dan rwyd mosgito, gorwedd
yno a gwrando ar eu sŵn nhw a gwybod na all y diawled ddim
dod ata i. Eu clywed nhw wedyn yn ymosod ar y rhwyd, sydd
wedi ei thrin â chemegyn gwenwynig, a'u clywed nhw'n disgyn
yn farw, Plop! Plop! ar y llawr. Fe fydda i hefyd yn cario tortsh
pen bob amser er mwyn darllen o dan y blancedi, darllen llyfrau
taith, fel arfer. Neu Lord of the Rings. Rwy'n arbennig o hoff o'r
gyfres honno ac yn medru uniaethu â'r cymeriadau.

Er bod eu gwareiddiad nhw bron â diflannu'n llwyr, roedd y
Maya wedi gadael eu hôl ar yr adeiladau yn Tikal. Ond yn fwy
na hynny roedden nhw wedi gadael eu dylanwad ar y Maya
cyfoes drwy gyfrwng y Maximon, sy'n cael ei ynganu fel

Mashemon, eu duw arbennig nhw. A dyna oedd prif bwrpas ein taith ni, dod o hyd i'r Maximon rywle ymysg llosgfynyddoedd Guatemala, profiad prin iawn i bobol y tu allan i Guatemala.

Mae pobol yn hoffi gwahanol bethe am wahanol wledydd. Chi'n gwybod beth o'wn i'n ei hoffi fwyaf am ddinas Guatemala? Y bysus. Bysus o bob lliw a llun, a crôm yn cael lle amlwg iawn. Ac roedd gan y bysus eu henwau personol eu hunain. Norma oedd enw un.

Y ffordd orau i deithio oedd ar fotor-beic. Dyma logi un a gyrru allan o'r ddinas ar daith oedd yn mynd â ni heibio i un o losgfynyddoedd mwyaf bywiog y wlad. Syniad Hughes, wrth gwrs, oedd dringo'r mynydd. Fe gawson ni gwmni gofalwr a phlismon i ddringo'r llethrau. Fe estynnodd y plismon *machette* anferth i fi gan fy atgoffa fod lladron a herwyr yn dal i grwydro'r mynyddoedd. Ac wrth i ni deithio i fyny'r cwm fe wnaethon ni weld cwmwl o lwch yn codi. Yr hyn oedd yn achosi'r llwch oedd lorri agored yn cario dwsin o blismyn milwrol. Dyma nhw'n cyrraedd ac yn neidio allan. Roedden nhw wedi clywed ein bod ni yn y cwm, a chaen ni ddim mynd i fyny'r mynydd heb eu presenoldeb nhw. Dair wythnos cyn hynny roedd herwyr wedi saethu dau Siapanead ac yna wedi amgylchynu tua ugain o fyfyrwyr a dwyn popeth oedd ganddyn nhw. Ac wrth i ni ddringo i fyny roedd dau blismon arall yn ein disgwyl ni, jyst rhag ofn.

Fe wnaethon ni fentro mor agos â phosib at wefus y llosgfynydd. Roedd mwg trwchus a drewllyd yn codi o'i safn ac fe'n rhybuddiwyd ni rhag mynd yn rhy agos. Fe allai'r nwyon gwenwynig ein llethu ni. Yna dyma glywed sŵn rwmblan dwfn. Na, nid o fol y mynydd oedd y sŵn yn dod. Storm o law, mellt a tharanau oedd yn bygwth. M!O!M! Mas O 'Ma, Hughes!

Fe wnaethon ni alw yn y pentre agosaf i chwilio am y Maximon. Dim lwc, ond pobol liwgar a chroesawgar yn llenwi'r strydoedd a'r farchnad. Mynd am dro i fferm goffi, a gweld y ffa coffi yn tyfu'n agored yno. 'Nôl i'r ddinas a theimlo fod llawer o drafnidiaeth yn teithio tuag ata i a dim byd y tu ôl i fi.

Sylweddoli fy mod i'n gyrru'r motor-beic i fyny stryd unffordd.

Yn cysgodi o dan losgfynyddoedd Augua, Acatenango a Fuego roedd hen brifddinas Guatemala, Antigua. Roedd hi'n Sul y Blodau, dechre'r Mana Santa, neu'r Wythnos Sanctaidd. Roedd y rhan fwyaf o'r trigolion yn Gatholigion, ond yn dathlu yn dra gwahanol i Gatholigion Cymru. Ar y strydoedd roedd carpedi anferth, lliwgar yn gorwedd. Ond nid carpedi cyffredin oedd y rhain. Roedden nhw wedi'u gwneud o flawd llif, blodau a hadau palmwydd. A phob stryd yn gyfrifol am eu crefftwaith eu hunain. A phrysurdeb mawr er mwyn cael popeth yn berffaith ac yn barod mewn pryd.

Hanner dydd, y corn yn canu, yr orymdaith ar fin cychwyn a phawb mewn hwyliau da. Fe ddaeth Catholigiaeth i'r wlad drwy'r Sbaenwyr, sef y concwerwyr. Doedd dim sôn am hen grefydd y Maximon hyd yma. Roedd prif actorion y pasiant wedi eu gwisgo fel Iddewon a milwyr Rhufeinig oes yr Iesu.

O'r diwedd, llwyfan symudol yn ymddangos, symudol am fod cant o bobol yn ei gario. Roedd e'n anferth, yn pwyso dwy dunnell. A gwaith cywrain y carpedi ar y strydoedd yn cael ei ddifetha mewn eiliadau dan draed wrth i'r orymdaith gamu yn ôl tua'r eglwys. Roedd hi'n olygfa anhygoel, gyda mwg yr arogldarth bron â'n tagu ni. Miloedd ar filoedd yn gorymdeithio, ac yn bwriadu gwneud hynny am ddeuddeng awr. A'r llwyfan mor drwm fel bod angen cyfnewid hanner-cant o'r cludwyr bob pum munud. A'r menywod yn cario'u llwyfan eu hunain er gwrogaeth i'r Forwyn Fair.

Wedi diwrnod o orymdeithio, y dorf yn llusgo'u traed yn flinedig yn ôl i'r eglwys. Er bod y dathliadau'n para am wythnos, fe fydde'n llwybr ni yn arwain yn ôl at rywbeth llawer hŷn, at wir draddodiad y Maya oedd wedi goroesi'r holl ganrifoedd, y Maximon.

Ar yr ochr draw i Lyn Atitlan roedd pentre Santiago. Ac yno, yn ôl pob sôn, fydden ni fwyaf tebygol o gwrdd â'r Maximon. Fe gawson ni gyngor i ofyn i'r plant. Fe wnaeth y rheiny ein harwain ni at griw o ddynion. Ond braidd yn amharod i helpu oedd y rheiny. Yn un peth roedden nhw'n feddw rhacs a heb fod mewn tymer rhy dda.

Roedd hi'n syndod mor hapus oedd y bobol gyffredin o ystyried y dioddefaint ddaeth i'w rhan nhw yn yr ucheldiroedd yn y chwech a'r saithdegau. Yn ystod y cyffro politicaidd hwnnw, lladdwyd trigain mil o bobol. Yna, mor ddiweddar ag wythdegau'r ganrif ddiwethaf, llosgwyd dros bedwar cant o bentrefi a lladdwyd y mwyafrif o'r preswylwyr er mwyn perswadio'r werin i beidio â chefnogi'r gwrthryfelwyr. Amser ofnadwy i'r bobol.

Roedd y Maximon i'r bobol hyn yn cynrychioli llawer o ddaioni a llawer o ddrygioni. Ond sut oedd dod o hyd iddo? Yna fe glywson ni si fod rhywbeth i ddigwydd yr ochr draw i'r llyn y noson honno. Yno, yn y tywyllwch, roedd pethe cyfrinachol yn digwydd yng nghanol yr arogldarth a oedd dros y lle i gyd. Closio'n llechwraidd a chael nad oedd y Maximon ei hun yno. Ond roedd yno seremoni bwysig iawn yn digwydd. Roedd dillad y Maximon yn cael eu golchi ar dair carreg arbennig. Ac fe wnaethon ni sylweddoli hefyd fod pethe fel wisgi, sigârs, arian a dillad crand yn chwarae rhan bwysig yn y ddefod.

Fe gyrhaeddodd mwy a mwy o bobol ac fe gynyddodd y tyndra wrth i rai ohonyn nhw edrych yn ddigon od arnon ni. Cilio 'nôl i'r cysgodion oedd orau. Dim sôn am y Maximon. Ond fe wawriodd diwrnod arall. Ac yna neges i ni fynd i dŷ arbennig lle'r oedd y Maximon yn cael ei gadw. Fe aethon ni yno yn cario potel neu ddwy o rȳm a sigaréts fel offrwm. Fe ddaliais i ar y cyfle i holi un o'r pentrefwyr, Salvatore, beth oedd y Maximon yn ei olygu iddo fe?

'Mae'r Maximon yn rhan o'm bywyd i bob dydd,' medde fe. 'Alla i ddim byw hebddo fe. Rwy'n addoli'r Maximon am ei fod e'n rhan bwysig o'm hetifeddiaeth i fel Maya. Mae Maximon yn fyd-eang ac mae'n dod â iachawdwriaeth i'r holl bobol. Yn ogystal mae'n cynrychioli Jiwdas Iscariot, y disgybl wnaeth fradychu'r Iesu.'

Yna, o'r diwedd, fe ymddangosodd y Maximon ei hun yng nghanol y stafell. Wyddwn i ddim beth i'w ddisgwyl. Ro'wn i'n sylweddoli erbyn hyn pa mor gryf oedd ffydd y bobol yn y duw rhyfedd hwn. Ac er bod y bobol yn ffeind iawn, roedd yna deimlad o berygl ac o ddisgwyl drwy'r amser.

Pan wnaeth e ymddangos roedd e'n gryn syndod. Delw oedd e, tua deg troedfedd o daldra ac yn edrych i lawr ar y criw o amddiffynwyr oedd o'i gwmpas, ei frodyr yn y ffydd. Fedrwn i ddim ei weld e'n glir, ond fe drosglwyddais i botel o rym i'w ofalwyr a chilio'n ôl. A dyna'r profiad rhyfedda gefais i erioed. Fe'i cludwyd e i'r golwg a dyma weld y Maximon yn glir am y tro cyntaf. Mae'n amhosib disgrifio'r teimlad.

Fore trannoeth, roedd y dathlu i ddechre o ddifri. A'r Maximon wedi gwneud ei ymddangosiad cynta ers blwyddyn gron. Gorymdaith arall, band arall a'r dre i gyd wedi dod allan i ymuno yn y dathliadau. Ac yna dyma'r Maximon yn ymddangos yn eu canol wrth iddo gael ei dywys i'r llys, ei gondemnio a'i grogi. Ond doedd hynny ddim i ddigwydd o flaen ein llygaid ni.

Wedi iddo gael ei grogi, fe symudwyd y Maximon i dŷ arall ger yr eglwys lle'r oedd e i gael ei warchod am dridiau cyn atgyfodi. Yno roedd cyfle i'w weld e'n gliriach fyth, het Stetson ddu ar ei ben, sigâr yn ei geg, dillad lliwgar amdano a sgidiau o'r lledr gorau am ei draed. Fe esboniodd un o'r menywod nad duw oedd y Maximon ond y ddaear. Roedd e'n cynrychioli holl wahanol dduwiau'r Maya. Heddiw roedd e'n farw. Cyn hir byddai 'nôl yn fyw.

Fe wariodd Dydd Gwener y Groglith, a'r Catholigion yn ymgynnull yn yr eglwys yn barod am eu seremoni nhw cyn cludo'r Groes, a'r Iesu arni, o gwmpas sgwâr y dre. Y menywod yn gorchuddio'u pennau a gwneud arwydd y Groes. Yr arogldarth yn codi'n gymylau. Nifer yn cario canhwyllau. Ac yna'r orymdaith fawr, a gymerodd dair awr i groesi'r sgwâr.

Yna, yn sydyn, fe ailymddangosodd y Maximon gan achosi ias oer i redeg drwy'r dorf. Er bod y ddwy orymdaith yn gwbwl wahanol eu naws, doedd yna ddim gwrthdaro er bod yna deimlad o anesmwythyd. Yn hongian uwchlaw'r sgwâr, llun o'r Iesu o fewn seren las a goleuadau o'i chwmpas.

Yr oriau'n pasio, a'r dathliadau'n cyrraedd eu huchafbwynt. Yna, dyma Maximon a'i gludwyr yn pasio'r Groes yn ddiamynedd ac yn sathru dros y carpedi lliwgar heb unrhyw barch at deimladau'r Catholigion. Ac yna, o'r diwedd, Maximon yn diflannu 'nôl i'w gartref am flwyddyn arall gan adael i ni bendroni dros arwyddocâd dau grefydd yn dod wyneb yn wyneb. Ac i werthfawrogi teimladau ysbrydol pobol y Maya.

11
Yng Ngwlad Iorddonen

Beth yw'r cysylltiad rhwng tŷ yn Nhremadog yng ngogledd Cymru a chastell yng ngwlad Iorddonen? Yr ateb yw T.E. Lawrence, neu i fi a chi, Lawrence of Arabia. Yn Nhremadog y ganwyd ef yn 1888. Tra oedd o mewn castell yn Azraq y cynlluniodd ei ymgyrchoedd yn Arabia. A dyna beth aeth â fi i Amman, prifddinas gwlad yr Iorddonen.

Erbyn hyn, ar gyfer yr ail gyfres o deithiau, roedd Rhian yn rhan o'r criw. Yr hyn wnaeth Hughes a fi ei ffeindio yn dilyn y teithiau cynnar oedd ein bod ni'n uffernol o wael am gadw cownt o ran treuliau. Yr un fyddai'r cwestiwn fyth a hefyd. 'Ges ti dderbynneb?' 'Naddo, gest ti?' Ar ddiwedd un daith, yn ôl S4C, roedden ni tua mil o bunnau'n brin am i ni fethu â chadw derbynebau. Yr ateb oedd cael Rhian i ymuno â ni. O hynny ymlaen, hi oedd yn gyfrifol am gadw cofnod o bopeth ac am yr ymchwil hefyd. Fe wnaeth hynny bethe'n llawer haws. Mae Rhian yn rhyw gyfuniad o fam a chwaer i ni.

Ond yr hyn dwi'n gofio fwyaf am Iorddonen oedd y daith awyren uffernol allan yno. Ro'wn i'n eistedd yn y pen blaen yn union y tu ôl i'r llenni oedd yn gwahanu'r dosbarth cyntaf oddi wrth yr ail ddosbarth. Oedd, roedd yr ail ddosbarth yn ddigon da i ni. Roedd Hughes a Rhian yn eistedd y tu ôl i fi. Yna'n sydyn dyma gryndod fel petai rhywun wedi rhoi hergwd i'r awyren. A dyma'r awyren yn plymio. Fe ges i fy nhaflu fyny i'r awyr. Roedd masgiau ocsigen yn disgyn o'r to, pobol yn gweiddi a gweddïo. Ac yna dyma gael y teimlad nad oedd unrhyw bwrpas mewn mynd i banig. Doedd dim byd fedrwn i ei wneud. Y cyfan wnes i oedd syllu ar y llenni o flaen fy llygaid i. Wir i chi, fe fedra i eu gweld nhw nawr, rhai â blodau bach drostyn nhw. Tua deng eiliad wnaeth y cyfan bara ond roedd e'n teimlo fel oes.

Yna, dyma'r injan yn rhuo a ninnau'n cael y teimlad fod yr

awyren yn dechrau lefelu. Yr unig ofn nawr oedd fod mynydd o'n blaen ni. Ymlaen â ni, a'r awyren wedi adfer ei chwrs. Dros yr uchelseinydd fe wnaeth y capten ymddiheuro. Doedd hyn erioed wedi digwydd iddo o'r blaen, medde fe. Roedd yr awyren wedi hitio poced o aer ac roedd hwrdd o wynt wedi ein taflu oddi ar ein hechel. A dyma'r capten yn mynd ymlaen i ddweud y caen ni i gyd ddiod am ddim.

Dyna pryd wnes i edrych yn ôl a gweld Rhian, oedd wedi gwisgo mewn gwyn, erbyn hyn yn goch drosti. Fe wnes i feddwl iddi gael damwain gas a'i bod hi wedi taro'i phen a'i bod yn waed drosti. Eto i gyd roedd Hughes yn chwerthin yn braf. A dyma sylweddoli nad gwaed oedd dros Rhian ond gwin coch. Roedd Hughes wedi agor potelaid o win a phan blymiodd yr awyren fe sarnodd cynnwys honno dros Rhian. A dyna pryd ddwedais i wrth Hughes y byddwn i'n cerdded adre. Gyda llaw, wrth edrych yn ôl, dyna'r agosaf erioed i fi fynd lawr ar Jordan!

Pan gyrhaeddais i Amman, roedd y ffyddloniaid wrthi'n gweddïo'n droednoeth ar eu matiau. A dyna beth sy'n dda am addoli mewn mosg. Mae'r gwleidydd pwysicaf yn gorfod plygu o flaen ei dduw ochr yn ochr â'r cardotyn symlaf. Yn y mosg mae pawb yn gyfartal. Ar gyfer yr achlysur roedd yr heddlu wedi cau'r strydoedd cyfagos. Ac roedd yr hyn oedd yn digwydd yn Amman yn digwydd ar yr un pryd ledled y wlad; miloedd ar filoedd o ffyddloniaid yn addoli.

Cofiwch, fe ges i achos i beidio â hoffi Mwslemiaid. Pam? Wel, y drws nesa i lle'r oedden ni'n aros roedd mosg. Ac am bedwar o'r gloch y bore, bob bore, roedden nhw ddim jyst yn galw ar y ffyddloniaid i weddi ond yn gweiddi arnyn nhw dros feicroffôns a thrwy uchelseinyddion anferth. Felly, am bedwar o'r gloch bob bore ro'wn i'n disgyn mas o'r gwely. Un bore fe wnes i fynd draw gyda nodyn bach i'r mosg yn dweud, 'Diolch yn fawr, ond fydda i ddim angen galwad gynnar bore fory, diolch yn fawr.' Ond fe wnaethon nhw wneud hynny jyst yr un fath.

O'r mosg fe wnes i fynd i'r farchnad, neu'r Souk. Ac yno fe fedrech chi gael unrhyw beth fynnech chi, yn union fel bod ym marchnad Abertawe ar ddydd Sadwrn. Dim bara lawr na chocos, mae'n wir. Ond roedd popeth arall yno. Hyd yn oed hen dapiau o Dafydd Iwan. Wir i chi. Fe brynais i un. Roedd e'n rhad iawn. Ac ar ôl llawer o ddadlau fe ges i fargen arall, piben rwber â chlip ar bob pen am ddwy dinar. Beth dda oedd hi? Doedd gen i ddim syniad. Ond fe wnes i ei phrynu hi. Doedd neb yn cael gwneud ffŵl o Morris o Drebôth. Wedi'r cyfan, beth bynnag oedd hi, roedd hi gystal â thâp Dafydd Iwan.

Roedd yno un stondin lle na wnawn i brynu unrhyw beth. Enw'r stondinwr oedd Al-Shark. Troi at stondin arall a bargeinio am benwisg, un o'r rheiny sy'n edrych yn debyg i liain sychu llestri gyda band rwber i'w ddal o gwmpas eich talcen. Roedd dewis o batrwm glas neu goch, yr un glas o Balesteina a'r un coch o'r Iorddonen. Coch amdani, felly. Fe ddeuai'n ddefnyddiol allan yn y diffeithwch. Ac fe wnes i ddechrau deall yr arian. Roedd darn dinar yn edrych fel pishin hanner-can ceiniog ond yn werth punt. Ac i ni, deithwyr profiadol, chi'n galw'r darn yn 'DJ', hynny yw, 'Jordanian Dinar'. Mae hi'n neis cael bod yn wybodus.

Er bod arwyddion o Gristnogaeth i'w canfod mewn ambell le, roedd mwyafrif mawr y bobol, wrth gwrs, yn Fwslemiaid. Ond fel ymron ym mhobman arall o Ewrop a Gogledd Affrica, roedd y Rhufeiniaid wedi gadael eu marc yno, yn arbennig wrth i fi gael golwg ar yr amffitheatr. Fe gododd y Rhufeiniaid eu hadeiladau o gwmpas y saith mynydd sy'n ffurfio'r ddinas, yn union fel y gwnaethon nhw yn Rhufain.

Heb fod ymhell o Amman roedd y Môr Marw. Pwy laddodd e, tybed? Ar fryn uwchben, Bryn Nebo, y siaradodd Duw â Moses yn ôl y Beibl. Ac arno, mae'n debyg y claddwyd Moses. Y tu ôl i fi, wrth i fi sefyll ar Fryn Nebo, roedd Dyffryn yr Iorddonen yn ymledu, y tirwedd yn berffaith ar gyfer y math o ryfel *guerrilla* roedd Lawrence mor hoff o'i defnyddio. Hynny'n fy atgoffa i pam oeddwn i yno, i ddilyn trywydd Lawrence drwy'r diffeithwch, cartre'r Bedouin, sef y bobol fuodd e'n brwydro drostyn nhw mor ffyrnig.

Dyma benderfynu mynd draw i Azraq, pencadlys Lawrence pan oedd e yn Arabia. Ac Al yn awgrymu croesi'r anialwch yn hytrach na dilyn y ffordd. Yn fuan iawn dyma gwrdd â'n Bedouin cyntaf. Ei gyfarch, ac yntau'n ateb yn fonheddig.

Y noson honno fe fuon ni'n ddigon ffodus i daro ar deulu Bedouin a chael gwahoddiad i aros gyda nhw, yn ôl arfer y bobol groesawgar ag ydyn nhw. Yn y babell roedd tân agored, a bwyd a diod yn cael eu rhannu'n rhydd. Gan fy mod i'n ddyn dieithr, châi'r menywod ddim dod i mewn i'r rhan honno o'r babell, a chawn innau ddim mentro i'w stafell nhw.

Mae croeso i unrhyw grwydryn aros tair noson gyda'r Bedouin gan rannu eu bwyd a'u cyfeillgarwch am ddim. Ar ôl tri diwrnod, y peth cwrtais yw symud ymlaen. Ac yno, ym mhabell y Bedouin, y gwnes i syrthio i gysgu, fi'n dymuno 'nos da' iddyn nhw yn Gymraeg a hwythau'n dymuno'r un peth i fi mewn Arabeg.

Y bore wedyn, cyfle i weld y menywod yn chwarae eu rhan yng ngwaith y dydd. Nhw oedd yn edrych ar ôl y plant, yn golchi a chasglu'r llaeth. Gwneud bara wedyn, ac wrth iddyn nhw dylino, roedd y toes yn fy atgoffa i o ledr *Chamois*. Ond o'i brofi ar ôl ei grasu roedd e'r bara mwyaf blasus i fi ei fwyta erioed. Fe fydden nhw'n rholio a phwnio'r toes nes ei fod e'n denau fel papur ac yna ei grasu ar garreg fawr gron a gâi ei phoethi.

Fe ddaeth hi'n amlwg fod y Bedouin yn dal ar unrhyw esgus i yfed te mintys. A wnes i ddim gwrthod unwaith y cynnig i gyd-sipian. Fe esboniodd un o'r bobol eu patrwm byw i fi.

'Fe fyddwn ni'n aros mewn un man am gyfnodau sy'n amrywio o bythefnos hyd at fis. Mae'n dibynnu'n hollol ar faint o lysdyfiant sydd yno i'n defaid a'n geifr. Fydden ni byth yn ystyried symud i'r ddinas. Ein ffordd ni o fyw sydd orau. R'yn ni'n rhydd i symud fel y mynnom, a fydden ni byth yn ystyried ildio'r hawl i'r rhyddid hwnnw.'

Ond er eu natur grwydrol, fe fydden nhw'n gwneud amser i wylio'r teledu gan gludo hen set oedd wedi gweld gwell dyddiau gyda nhw i bobman. Beth oedd eu hoff raglen nhw? *Pacio*, siŵr o fod!

Yn wahanol i fugeiliaid yng Nghymru, fe fydde'r Bedouin yn arwain eu praidd. Ac ar ddiwrnod cynta'r flwyddyn o odro, roedd y defaid yn teimlo braidd yn anesmwyth. Ond wedi eu clymu'n sownd, fe aeth y gwaith o odro ymlaen yn ddidrafferth. A'r menywod, wrth gwrs, oedd yn gwneud y gwaith hwnnw. Yna fe alwodd dyn busnes. Yn wahanol i'r Bedouin, roedd hwn wedi'i wisgo mewn siwt. Hwn oedd yn prynu'r llaeth er mwyn ei droi'n gaws a'i werthu yn y ddinas. Ond pam nad oedden nhw'n gwneud eu caws eu hunain? Roedden nhw'n arfer gwneud, gan gynhyrchu digon i ddiwallu eu hanghenion eu hunain. Ond nawr, gyda thryc i'w redeg a phetrol i'w brynu roedd angen arian sychion arnyn nhw. A beth bynnag, doedd y Bedouin ddim yn bobol fusnes wrth natur. Petaen nhw'n dechre busnes, fydde ganddyn nhw ddim o'r rhyddid i grwydro.

Fe ges i brofi'r caws. Ac fel maen nhw mor hoff o'i ddweud ar raglenni teithio, 'Mmmm! Blasus iawn!'

Amser i ni godi'n pac a mynd am dref Azraq. A'r ffordd yn ymddangos yn ddiddiwedd. Ymhen hir a hwyr, cyrraedd Azraq ac oedi wrth y castell lle sefydlodd Lawrence ei bencadlys yn ystod Gwrthryfel yr Arabiaid yn 1917. Fe benderfynodd Prydain ochri gyda'r Arabiaid yn eu brwydr yn erbyn y Twrciaid. A'r peth pwysicaf i Lawrence ei wneud oedd uno'r gwahanol ac amrywiol lwythau Arabaidd. Fe dreuliodd wythnosau yn y castell yn trefnu ei gynlluniau cyn arwain ei ddynion ar draws yr anialwch i orchfygu'r gelyn. Fe wnes i gwrdd ag un dyn y bu ei dad yn ymladd gyda Lawrence ac a oedd yn ei adnabod yn dda.

'Dyn milwrol oedd Lawrence,' medde fe, 'ac fe wnaeth yr hyn oedd yn ofynnol iddo'i wneud wrth ddelio â'r Twrciaid.'

Fe wnes i fynd i mewn i stafell Lawrence yn y castell, lle treuliodd e aeaf oer 1917. Yno y bydde fe'n byw, yn bwyta ac yn cysgu a'i ddynion yn byw yng ngweddill y castell. Ond roedd hi mor gythreulig o oer yno, fel y bu farw llawer ohonyn nhw.

O Azraq fe wnaethon ni deithio dros dri chan milltir i hen ddinas Petra, un o ryfeddodau Gwlad yr Iorddonen. Petra, yng nghanol y mynyddoedd urddasol yn y drydedd ganrif cyn Crist oedd un o ddinasoedd masnach mwya'r byd. Yn llechu ymhlith y mynyddoedd hynny roedd olion yr harddwch a fu yn dal i'w gweld. Roedd yr adeiladwaith wedi ei gerfio o'r graig, yn nythu ymhlith clogwyni anferth, talsyth. A phob tro fydda i'n mynd i'r fath le fe fydda i'n meddwl am y bobol gyffredin fu wrthi'n naddu'r graig. Meddyliwch am ddau foi bach yn naddu a naddu gannoedd o droedfeddi i fyny. Am beth roedden nhw'n siarad, tybed?

Clinc! Clinc! Clinc! 'Beth gest ti i swper neithiwr?'

Clinc! Clinc! Clinc! 'Humus.'

Clinc! Clinc! 'Shwd ma'r wraig?'

Clinc! Clinc! 'Ti'n gwbod shwd mae hi'n gallu bod.'

Clinc! 'Odw. Shwd ma'r mul? Cael trwbwl gydag e?'

Clinc! 'Paid â sôn am hwnnw . . . '

Mae'n rhaid eu bod nhw'n siarad am yr union bethe sy'n poeni eu disgynyddion heddiw.

Roedd siambrau anferth wedi eu naddu yn y creigiau. A'r lliwiau mwyaf anhygoel ar y creigiau hynny. Ond nid dyn oedd wedi peintio'r rhain. Fe gafodd y rhain eu creu'n naturiol i fod yn lliwgar.

Allan i'r amffitheatr. Ro'wn i wedi mynd drwy'r prelims ac wedi cael llwyfan. Penderfynu adrodd 'Nant y Mynydd' gan Ceiriog. Ac un Bedouin bach yn clapio'i ddwylo yn y cefn. O fewn y siambrau roedd pob smic yn cael ei atseinio. Rhoi cynnig ar ganu 'Bugeilio'r Gwenith Gwyn'. Y tro hwn, neb yn clapio. Dim llwyfan.

Yna cyfarfod ag Esau, oedd yn mynd i'n harwain ni dros y mynyddoedd wrth ddilyn llwybrau Lawrence i'r Wadi Rum yng nghanol y diffeithwch. Ac wrth gwrs, rhaid oedd teithio ar gefn camel. Fy hoff anifail nid yw. Roedd hyn fel teithio dros do y byd, a phrydferthwch y wlad yn codi chwant cân arall arna i. Ceisio dysgu Esau i ganu 'Oes Gafr Eto?' Fe gafodd e dipyn gwell hwyl yn dysgu cân Gymraeg nag a ges i wrth geisio dysgu cân Arabaidd. Ond o'r diwedd, ein cipolwg cyntaf o hoff lecyn Lawrence, y Wadi Rum.

Ond beth amdano Fo, Hughes, y noson cynt?

'Ti'n mynd i gysgu mewn pabell, Al?'

'Na, dwi'n mynd i gysgu allan fel y Bedouin, 'te.'

'Wel, dwi'n mynd i gysgu mewn pabell.'

Fe ddeffron ni, a'r gwlith wedi disgyn. Ac Al yn socian wlyb. Ond fi yn glyd ac yn sych yn fy mhabell. On'd o'wn i, Hughes? O, dyna hwyl!

'Ti am babell heno, Al?'

'Na, fedri di ddim gweld y sêr drwy babell.'

Gweld y sêr? Unwaith dwi'n cysgu, dwi ddim yn gweld unrhyw beth. Ond fe gafodd Hughes ei funud o ddial. Fe ddaliodd ar gamera fy ymdrechion gwirion i wrth geisio ailgodi'r babell. Fe lwyddais i'w chodi mewn munud fflat. Ac o fewn munud arall, roedd hi'n fflat unwaith eto.

Hyd yn oed yng nghanol y diffeithwch, roedd y Bedouin yn medru creu'r bwyd mwyaf blasus. Ond fel arfer, Hughes yn cael mwy na'i siâr.

Mae'r camel, wrth gwrs, wedi'i addasu'n berffaith i grwydro'r diffeithwch. A digon o fraster yn ei grwmp i bara wythnos. Dyna pam mae e'n cael ei alw yn Llong yr Anialwch. Erbyn hyn roedd Esau wedi dechrau fy ngalw i'n 'B'dewi', oedd yn golygu y Bedouin Bach. Yn y tywod, gyda help darn miniog o bren, fe ddysgodd fi sut i ysgrifennu'r rhifolion mewn Arabeg. Roedd e'n sgrifennu tuag yn ôl. Yna fe ysgrifennodd 'Dewi' a 'B'dewi' yn y tywod. Dyna i chi addysg.

Cyrraedd y Wadi Rum a gorfod cael mwy o gamelod. A chyn medru eu prynu, gorfod haglan â'r perchnogion. Fe wnes i gyfnewid fy ngwraig am gamel. Doedd hi ddim yn gwybod hynny ar y pryd. Bei-bei, Rhiannon! Rhyw ddiwrnod fe fydd rhyw Arab mawr yn galw yn tŷ ni i hawlio'i fargen.

I gael camel i eistedd – ac mae e'n disgyn drwy blygu ei goesau blaen yn gyntaf – roedd angen i fi wneud sŵn yn fy ngwddw, sŵn 'ch' fel petawn i'n clirio fy llwnc. Fe weithiodd. Ond roedd fy mhen-ôl i yn teimlo fel . . . wel, yn teimlo fel pen-ôl rhywun oedd wedi bod yn eistedd ar gefn camel am chwe diwrnod. Roedd gan Lawrence, mae'n rhaid, ben-ôl fel haearn. Neu roedd ganddo fe fwy o glustogau na fi.

Dishgled o de mintys, a theimlo'n well. Ond roedd un cwestiwn heb ei ateb. Pam wnaeth Lawrence aros yno i frwydro dros y bobol? Doedd gen i ddim ateb. Ond rwy'n amau fod gan y Bedouin, â'u croeso agored a'u cyfeillgarwch rywbeth bach i'w wneud â'r peth.

12
Bryniau Du Dakota

Pan gyrhaeddais i Rapid City roedd hi'n oer, yn oer iawn. Mynd yno wnes i er mwyn dysgu mwy am bobol arbennig iawn, pobol falch iawn ar un adeg, pobol oedd â llawer o dristwch yn rhan o'u bywyd nhw – Indiaid America.

Gwerthoedd materol sydd gan y Dyn Gwyn, â'i agwedd at y ddaear o'i gwmpas yn un cwbl faterol, mor wahanol i agwedd ysbrydol yr Indiaid. Indiad Mic-mac oedd Donna Augustine, aelod o un o nifer o genhedloedd Indiaidd sy'n byw yn y Taleithiau Unedig ac sy'n dal i frwydro am gydraddoldeb ac am hawliau dynol ar eu tiroedd eu hunain. Roedd hen ddiwylliant ei chenedl yn bwysig iddi. Dyna pam roedd hi'n gwisgo dillad traddodiadol ei chenedl ac yn llafarganu caneuon traddodiadol ei phobol i gyfeiliant drwm.

Prin ddwy flynedd oedd yna ers i'r Dyn Gwyn groesi'r Mississippi a gweld y byffalo'n crwydro'n rhydd. Yr hyn wnaethon nhw oedd lladd y byffalo i gyd, bron, gan ladd a difetha hefyd ffordd o fyw yr Indiaid. Roedd ein teidiau ni yn trin yr Indiaid fel bodau llai na dynol.

Yn 1851, arwyddwyd Cytundeb Fort Laramie. Mae Erthygl 6 yng Nghyfansoddiad y Taleithiau Unedig yn datgan fod pob cytundeb a wnaed cyn hynny yn gyfraith gwlad. Ond yn fuan iawn ffurfiwyd y Boseman Trail, neu Ffordd y Lladron yn ôl yr Indiaid, drwy ganol eu tir sanctaidd, ffordd o gludo'r cyfoeth allan o'u tir.

Pererindod i Wounded Knee oedd ein taith ni, wedi ei leoli yng nghornel isaf De Dakota. Fe wnaethon ni adael Rapid City am y Black Hills, lle pwysig iawn erioed i'r Indiaid. A lle perthnasol iawn ar y pryd yn eu brwydr yn erbyn Llywodraeth y Dyn Gwyn.

Yn 1877, trosglwyddwyd perchnogaeth y Black Hills i Lywodraeth America fel rhan o fesur cwbl unochrog, a hynny flwyddyn ar ôl Little Big Horn. Fe wnes i alw mewn tref o'r enw Custer. Chi'n cofio General Custer a'i Last Stand? Wel, trigolion tref Custer oedd y bobol ddiwethaf ro'wn i am eu hatgoffa o'r stori. Rhag ofn.

Yr un flwyddyn â'r frwydr, darganfuwyd aur yno. Rhan o gred yr Indiaid yw na all pobol fod yn berchen ar dir. Yn hytrach y tir sy'n berchen ar y bobol. Yn ddiweddar fe gynigiodd y Llywodraeth 105 miliwn doler i'r Lakota fel iawndal. Ymateb y Lakota, sy'n perthyn i'r Sioux oedd, 'Ni werthwn ni byth mo'n bryniau sanctaidd.'

Ac yno, yng nghanol y Bryniau Duon, fe wnes i sefyll o flaen y symbol mwyaf gweledol o ddemocratiaeth honedig America wedi'i gerfio mewn carreg. A hynny yng nghanol man mwyaf cysegredig y Lakota – Mynydd Rushmore, a phen-ddelwau pedwar Arlywydd wedi'u cerfio yn y graig – Washington, Jefferson, Rossevelt a Lincoln. A dyma fi'n meddwl, sut fydden ni'r Cymry'n teimlo petai pen y Tywysog Charles yn edrych lawr arnon ni o ben yr Wyddfa? Methu deall o'wn i sut gaen nhw le i roi pen Bill Clinton. A mwy na hynny, ble fyddai pen Monica?

Yno yn y Black Hills oedd calon yr Indiaid, eu tir sanctaidd nhw ers cyn cof. Ond roedd aur yn y bryniau, ac roedd hynny yn llawer pwysicach i'r Llywodraeth na theimladau'r bobol oedd yn ystyried y lle fel un o'u canolfannau mwyaf ysbrydol. Yma oedd calon y Paha Sapa. A Bare Bute, yn arbennig, yn fath o eglwys sanctaidd awyr-agored i'r Indiaid Americanaidd. Yma y deuen nhw ar bererindodau. Yn wir, ro'en nhw'n dal i ddod gan ymprydio am ddyddiau yn y gobaith o gael gweledigaethau neu freuddwydion a wnâi ddangos y ffordd iddyn nhw.

Ond, oherwydd datblygiadau gwleidyddol, roedden nhw'n ofni y gwnaen nhw golli'r cwbwl, y tir i gyd. A dyna'r unig beth ro'en nhw ei eisiau. Y tir, dim byd arall. Ac wrth i fi eistedd yng nghanol y Paha Sapa, ro'wn i'n teimlo tristwch mawr dros y bobol. Wedi'r cyfan, do'en nhw ddim eisiau America i gyd yn ôl.

Doedden nhw ddim yn gofyn am gyfoeth, am aur nac am diroedd ffrwythlon. Dim ond y mynydd. A hefyd, ychydig bach o barch, rhywbeth na wnâi gostio rhyw lawer i neb.

Heb fod ymhell o Mount Rushmore fe geisiodd un dyn greu rhywbeth y bydde'r Indiaid yn falch ohono. Fe benderfynodd e lunio teyrnged i arwr mwya'r Indiaid Americanaidd, Crazy Horse, y dyn a wrthododd ildio. Enw'r dyn oedd Korjak Jawkowski, cerflunydd.

'Ro'wn i am wneud rhywbeth gwerth chweil â fy mywyd – ro'wn i am fod yn gerflunydd,' medde Korjak. 'Pan o'wn i'n blentyn tair ar ddeg oed ro'wn i wedi darllen am gerflunydd Mount Rushmore, Gutzon Borglum. Ychydig wnes i feddwl y byddwn i, un mlynedd ar bymtheg yn ddiweddarach, yn ei gynorthwyo ar y gwaith. Yna fe dderbyniais i lythyr oddi wrth Indiad nad oeddwn i erioed wedi'i gyfarfod, Standing Bear. Fe wnaeth e ofyn i fi lunio cofadail i'w bobol e fel bod y Dyn Gwyn yn sylweddoli fod gan yr Indiaid eu harwyr hefyd.'

Fe ddechreuodd e ar y gwaith ar ei ben ei hunan yn 1949 ac fe barhawyd y gwaith gan ei deulu heb unrhyw nawdd ariannol na help o unrhyw fath gan y Llywodraeth. Fe fedrai pedwar wyneb Mount Rushmore ffitio i mewn i wyneb Crazy Horse. Dyna syniad o faint y fenter. Hyd yma fe gymerodd hanner-can mlynedd o waith caled.

Breuddwyd yr Indiaid erbyn hyn oedd adeiladu canolfan ddiwylliannol, amgueddfa ar hanes y bobol, ysbyty a hyd yn oed eu prifysgol eu hunain. Tybed sut fydde Crazy Horse yn teimlo o glywed hyn?

Nesaf fe wnaethon ni gwrdd â Robert Quiver a'i bartner, Donna – Indiaid lleol oedd yn byw yn y Diriogaeth mewn lle o'r enw Porcupine. Do'wn i ddim yn gweld y pwynt. Porcupine! Pwynt! A, wel. Enw Indiaidd Robert oedd Standing Buffalo. Roedd ganddo fe gysylltiad teuluol â thrychineb Wounded Knee.

'Yn 1890 lladdwyd fy hen daid, Ghost Horse yn Wounded Knee. Llwyddodd ei fab, Kills Crow Indian, i ddianc a bu'n ymladd yn Little Big Horn. Fy nhaid oedd Oscar Bear Runner, a fu'n ymladd yn erbyn yr FBI yn 1973.'

Syndod i fi oedd deall fod rhyfel cartre rhwng yr Indiaid a'r awdurdodau wedi ffrwydro mor ddiweddar â 70au'r ganrif ddiwethaf yn nhiriogaeth Pine Ridge.

O leiaf, roedd gan y bobol eu gorsaf radio eu hunain a oedd yn chware cerddoriaeth Indiaidd. Wrth wrando ar y miwsig fe fedrwn i ddychmygu rhengoedd o Indiaid yn ymddangos ar y gorwel yn y pellter a chowboi bach unig yn eu hwynebu nhw. Petawn i yn ei sgidiau e, wnawn i ddim cysgu rhyw lawer.

Cyrraedd Porcupine, lle'r oedd mam Robert yn byw. Lle llwm ofnadwy oedd hwn gyda'r tir yn wael. Roedd yno dlodi mawr a'r sefyllfa gymdeithasol yn drist a ffigurau hunanladdiad yn uchel iawn. Ond roedd mam Robert yn un o'r rhai ffodus. O leiaf roedd ganddi gartref clyd a chynnes. Treulio'r nos yno a chodi i frecwast o uwd a siwgwr a sinamon, wyau wedi'u berwi, bara a choffi neu de.

I ddeall teimladau'r bobol, rhaid oedd mynd 'nôl i'r 70au a'r rhyfel cartref erchyll a ddigwyddodd yno. Ac un achos o'r cyfnod hwnnw a wnaeth dynnu'r bobol at ei gilydd oedd achos Leonard Peltiere. Yn ôl mam Robert, roedd Leonard yn garcharor gwleidyddol ac roedd y bobol am ei weld yn cael ei ryddhau. Fe'i cafwyd e'n euog yn 1975, ar dystiolaeth amheus, o lofruddio dau asiant o'r FBI. Fe'i dedfrydwyd i ddau gyfnod o fywyd yng ngharchar. Fe'i bradychwyd, yn ôl ei gefnogwyr, gan un o'i bobol ei hun, Dick Wilson. Roedd hwn yn gyfnod i'w anghofio gan lawer o'r pentrefwyr.

Roedd Robert yn awyddus i fi weld y tir a roddwyd i'r Indiaid gan Lywodraeth "hael" y Dyn Gwyn. Yn 1976 fe roddodd Llywodraeth y Taleithiau Unedig dir y Badlands, yn rhannol, yn ôl i'r Indiaid. Dyna i chi haelioni! Tir a oedd mor ffrwythlon! Mor ir! Fe wnâi'r Indiaid eu ffortiwn yno! Beth oedd yno? Dim ond creigiau, cerrig a thwmpathau o wellt sych. Y cyfan yn gwbwl ddiffaith.

Ond wedyn canfuwyd fod y tir yn cuddio llwythi ar lwythi

o wraniwm. Jacpot, medde chi. Dyna'r Indiaid yn gyfoethog am byth. Na, doedd yr Indiaid ddim yn credu mewn tyllu i mewn i'r ddaear gan ddinistrio'r tir sanctaidd. A hynny am resymau ysbrydol. Roedden nhw am gadw pethe fel roedden nhw.

Cartref i Robert a Donna ar y pryd oedd un stafell yn nhŷ ei frawd, Floyd, a oedd yn chwarae rhan flaengar yn y gymuned. Fe gawson ni groeso mawr ganddo fe, ynghyd â gwahoddiad i *Pow-wow* yn yr ysgol yn Porcupine. Rhyw fath o gydgyfarfod oedd y *Pow-wow*, rhywbeth tebyg i aduniad. Roedd yr Indiaid yno yn eu dillad traddodiadol yn curo drymiau ac yn dawnsio wrth lafarganu cerddi eu cenedl. Noson liwgar, fywiog, swnllyd. Fe ges i wahoddiad i ymuno yn y ddawns ond doedd gen i ddim digon o ffydd yn fy ngallu. Dawnswyr y Gwair roddodd gychwyn i bethe. Wedyn fe gafwyd Dawns y Siôl. Roedd hi fel steddfod. Ond heb Dei Tomos neu Bethan Jones Parry yn gweiddi, 'Caewch y drysa, os gwelwch chi'n dda!' Fe ddywedwyd wrtha i mai sŵn y drymiau oedd symbol o sŵn curiad calon y ddaear, ynghyd ag adlais y sŵn cynta mae baban yn ei deimlo yng nghroth ei fam. Roedd y cyfan yn codi ias arna i.

Wrth yrru 'nôl o'r *Pow-wow* fe ddechreuodd hi fwrw eira. Hanner-can milltir i fynd, a dim syniad ble roedden ni. Ond llwyddo, rywfodd, i gyrraedd pen y daith. Fore trannoeth, a'r haul yn disgleirio ar yr eira, dyma alw yng nghlinig cymunedol Porcupine, a oedd yn arbenigo ar drafod Clefyd y Siwgr. Doedd y clinig ddim yn derbyn unrhyw gyllid gan y wladwriaeth. Ond roedd hyn yn dderbyniol gan nad oedd yr Indiaid am fod yn nyled unrhyw un. Roedden nhw'n gwrthod unrhyw nawdd Llywodraethol. Roedden nhw'n teimlo y dylen nhw eu rheoli eu hunain. Roedd hyd yn oed yr ysgol leol wedi'i hariannu'n annibynnol ac o dan reolaeth y pentrefwyr eu hunain.

Fe fu'r ardalwyr yn brwydro dros sefydlu casino ar eu tir eu hunain. Ac ymhen hir a hwyr fe lwyddon nhw. Hynny'n golygu fod pobol yn dod i mewn i wario'u harian. Gan fy nghynnwys i. I mewn â fi i'r Prairie Wind Casino. Dod allan yn waglaw. Ond o leia fe gedwais i nghrys.

Y bore wedyn, cyfle i alw yn y neuadd i weld y lluniau a beintiwyd i gofio'r hyn ddigwyddodd yn Wounded Knee. Wedyn draw i Radio Kili, sef radio lleol y bobol. Sefydlwyd y fenter hon eto heb unrhyw help ariannol allanol. I mewn â fi i gwrdd â'r rheolwr, Wilson Two-lance. Fe ges i fy nghyflwyno yn fyw ar y radio. Beth wnes i? Dynwared Dafydd Iwan yn canu Ji Geffyl Bach. Sori, Dafydd, ond ro'wn i wedi anghofio'r casét.

Fel arfer fe fydda i'n mwynhau teithiau ar gyfer y gyfres *Byd Pws*. Ond fedra i ddim dweud i fi fwynhau'r daith arbennig hon. Dyma'r daith dristaf i fi fod arni, a hynny o bell ffordd. Tristwch oedd thema'r cyfan, y brodorion gwreiddiol wedi eu trechu ym mhobman, doedd dim byd ar ôl ganddyn nhw. A ble bynnag yr awn i, fe fyddwn i'n ymwybodol o'r hyn wnaethon nhw ei golli. Fe wnaeth yr ymweliad hwn roi ein colledion ni yng Nghymru mewn cyd-destun gwahanol iawn. Ac un o golledion tristaf y brodorion i fi oedd colli hunan-barch. Oedd, roedd hyd yn oed hwnnw wedi mynd.

Fe gawson ni gryn hwyl yma ac acw, mae'n wir, a hynny gan amlaf yng nghwmni Floyd Redcrow Westerman, bachan sydd wedi ymddangos yn *The X-Files* a *Dances with Wolves*. Mewn un man yn Los Angeles fe stopion ni'r car ac yno roedd arwydd melyn mawr ac arno y geiriau *PED XING*. 'O,' medde fi, 'mae'n rhaid ein bod ni yn yr ardal Tsieineaidd. 'Na,' medde Floyd, 'ystyr hynna yw *pedestrian crossing*.'

A dyma fe'n gofyn i fi wedyn, i ble yr hoffwn i fynd yn ei wlad ef? Fe wnes i ateb yr hoffwn i fynd i Galiffornia. Rwy wedi clywed cymaint am y lle. 'Rwyt ti yno,' medde Floyd. A fel'na ydw i, wn i ddim ble ydw i y rhan fwyaf o'r amser. Cyrraedd y môr wedyn, a finne'n dweud, 'Jiw, edrych ar hwnna. Rwy'n dwlu ar yr *Atlantic*.' A Floyd yn ateb, 'Dewi, y *Pacific* yw hwnna.'

Yn Los Angeles hefyd y gwelson ni arwydd yn hysbysebu'r hambyrgyr orau yn y byd. I mewn â fi, a chanfod fod y wraig oedd yn ei gwerthu hi yn dod o Ponty. Meddyliwch, merch o Ponty yn gwerthu hambyrgyr orau'r byd!

Cyn dechre deall beth ddigwyddodd yn Wounded Knee, rhaid oedd cofio beth oedd yn digwydd i'r Indiaid ar y pryd. Roedd eu ffordd o fyw wedi diflannu'n gyflym a'r Dyn Gwyn yn eu trin nhw'n israddol, llawer yn colli eu ffydd ac yn troi at gardota oddi ar y Dyn Gwyn. Fe ddaeth alcohol yn ffordd o ryddhad.

Fe ddarbwyllwyd yr Indiaid gan Shaman y byddai achubiaeth drwy Ddawns yr Ysbrydion. Byddai'r ddawns yn ffordd o gael gwared o'r Dyn Gwyn gan adfer yr hen ffordd o fyw. Roedden nhw'n credu, o wisgo crysau'r ysbrydion na fyddai bwledi'r Dyn Gwyn yn amharu arnyn nhw. Yn wir, fe fydde'r crysau gwyrthiol hyn yn gwneud iddyn nhw fod yn anweladwy. Ac i wneud pethe'n gryfach fyth, fe fydde neb llai na Sitting Bull yn ymuno â'r dawnswyr yn Standing Rock. Ond unwaith eto cafwyd bradwr ymhlith yr Indiaid. Bradychwyd Sitting Bull, ac wrth iddo gael ei arestio, fe'i saethwyd yn farw.

Yn dilyn lladd Sitting Bull fe deimlodd yr Indiaid fod y lle yn rhy beryglus. Fe wnaethon nhw adael o dan arweiniad Chief Bigfoot a mynd lawr i ardal Porcupine Bute. Yno fe ddaethon nhw wyneb yn wyneb â'r Cavalry. Fe gytunon nhw i ildio'u harfau i'r milwyr ac fe'u gyrrwyd nhw i lawr y cwm tuag at Wounded Knee.

Drwy'r oerni a'r eira fe wnaethon nhw gilio lawr y cwm, yn fenywod, yn blant ac yn ddynion. Ac yno, ger afon Wounded Knee, fe godon nhw eu gwersyll. Yn anffodus doedd pob Indiad ddim wedi ildio'i arfau. Bu camddealltwriaeth rhwng un o filwyr y Seventh Cavalry, cyn-fyddin Custer, â hen Indiad byddar oedd am gadw'i ddryll. A dyna oedd dechrau'r gyflafan. Fe saethwyd yn farw ymron bedwar cant o'r Lacotas gyda'r milwyr yn dilyn rhai o'r gwragedd a'r plant am ddwy filltir. Fe alwodd y milwyr ar y rhai oedd ar ôl i ddangos eu hunain, ac yna fe gaen nhw eu harbed. Ond unwaith y gwnaethon nhw ddangos eu hunain, fe'u lladdwyd.

Y fynwent yn Wounded Knee yw un o'r mannau tristaf yn y byd, ac mae hi'n dyst i un o'r trychinebau mwyaf a ddigwyddodd erioed i genedl fach. Mae enwau'r lladdedigion yn dal ar y meini, Spotted Thunder, Bearcuts Body, He Eagle, Picked Horses, Shoots the Bear, Big Skirt, No Ears, Bird Shakes, Chase in Winter. A llawer, llawer mwy.

Os ydych am ddarllen hanes yr Indiaid a chefndir trychineb Wounded Knee yn llawn, yna, darllenwch *Bury My Heart at Wounded Knee* gan Dee Brown. Fe fydd trychineb Wounded Knee ar gydwybod y Dyn Gwyn am byth.

13
Gŵyl y Piser

Ar ôl bod yn Marrakesh ac yn Kathmandu wnes i erioed feddwl y gwelwn i ddinas mwy swnllyd na'r rheiny. Ond credwch fi, roedd un ddinas yn gwneud iddyn nhw ymddangos fel trip Ysgol Sul i'r Mwmbwls. Y ddinas honno oedd Delhi.

A hawdd oedd deall pam fydda i'n dwli ar y teithio yma. Yn ystod tridiau o deithio, fe wnes i golli tair awyren ac o'r diwedd dyma benderfynu, yn hytrach, ddal y trên. A dyna beth aeth â fi i brif orsaf Delhi.

Ie, Delhi oedd dechrau'r daith. Ond i ble ro'wn i'n mynd? Diolch byth fod Hughes yn cofio. Varanasi oedd enw'r lle, dechrau'r daith i'r *Kumbh Mela*. Ddeuddeng awr yn ddiweddarach, ac fe wnaethon ni, sardîns, ddechre deffro a meddwl am frecwast. Dim Chicken Madras, os gwelwch chi'n dda. Na, penderfynu ar omlet. A'i bwyta hi yn y gwely.

Ond 'nôl at y *Kumbh Mela*. Beth oedd e? Wel, yr ystyr yw Gŵyl y Piser. Ac yno y ceir y cynulliad mwyaf o bobol yn y byd. Roedd disgwyl i 30 miliwn o Hindwiaid ymgasglu yno. Yn ôl mytholeg, fe frwydrodd y duwiau frwydr fawr â grymoedd y tywyllwch am y *Kumbh*, neu'r piser gwyrthiol a oedd yn cynnwys neithdar anfarwoldeb. Llwyddodd Vishnu i'w gipio ond wrth iddo ffoi i'r Swarga, neu'r nefoedd, fe ddisgynnodd pedwar diferyn o'r neithdar i'r ddaear. Un o'r mannau lle disgynnodd diferyn oedd Allahabad, ar lan y Ganges. Fe barhaodd yr ymladd am ddeuddeg diwrnod gyda'r duwiau yn ennill o'r diwedd.

Cyrraedd Varanasi, dinas Shiva, un o'r mannau mwyaf sanctaidd yn India ac sy'n sefyll rhwng dwy afon, y Varuna a'r Assi. Mae India yn ymosodiad llwyr ar y synhwyrau. Lliwiau, arogleuon y strydoedd, sŵn, mwg, prysurdeb a phobol, pobol a mwy o bobol. Mae India yn ffantastig, yng ngwir ystyr y gair. Yno y dyfeisiwyd y system gyfrif algebra, trigonomeg,

cwlcwlws, gwyddbwyll ac, yn fwy pwysig na dim, cyrri. Roedd
tlodi i'w weld yno, mae'n wir. Ond fe ymddangosai fel petai
pawb yn ffeindio rhyw fath o fywoliaeth, o fod yn negesydd i
werthu ffrwythau. Roedd pawb yn gwneud rhywbeth, un hyd
yn oed yn piso yn erbyn wal gyfagos fel petai e'r peth mwyaf
naturiol yn y byd.

Codi erbyn hanner awr wedi pedwar y bore. Y Fo wedi
dweud y byddai'n rhaid i ni weld y gât. Ie, gweld gât am hanner
awr wedi pedwar y bore. Roedd digon o gatiau gyda ni adre.
Ond na, gair am risiau yn arwain lawr i'r Ganges oedd Ghat.
Roedd yna nifer ohonyn nhw. Ac yn oriau mân y bore bach
roedd y ffyddloniaid yn heidio i ymdrochi a phuro'i cyrff yno
yn eu miloedd. Mae'r Ganges yn llifo o'r Himalayas pell i Fae
Bengal. Ac oherwydd fod yr Hindŵ yn credu fod y duwiau
wedi eu hymgorffori mewn afonydd, coed a mynyddoedd
mae'r Ganges yn bwysig iawn.

Ganga yw duwies yr afon, un sy'n cael ei haddoli a'i charu
fwyaf. Yn ôl yr ysgrythurau hynafol fe ddaeth Ganga i lawr o'r
nefoedd i'r ddaear er mwyn achub saith cenhedlaeth o gyn-
deidiau Bagira a phuro holl drigolion y byd.

Roedd cynnwrf a phleser y bobol o gael bod ar yr afon yn
amlwg ymhob man, rhai yn myfyrio, rhai yn gosod blodau ar
wyneb y dŵr, eraill jyst yn gwerthfawrogi'r ffaith eu bod nhw
yno.

Yna, egwyl fach i wylio criw o blant a phobol ifanc yn
chwarae criced. Ac fel y gwyddon ni, mae'r Indiaid yn ffoli ar
griced. Fe wnân nhw chwarae'r gêm unrhyw le, unrhyw bryd.

'Oh, damn good shot, old boy.'

Aeth hynna ddim lawr yn dda iawn. Yno yn gwylio'r cyfan
roedd oedolion gwerthfawrogol o sgiliau'r chwaraewyr. Yn
gwylio hefyd, gwartheg cysglyd yn cnoi eu cil yn hamddenol.
Fe ges i gyfle i gyhoeddi neges dros y meic.

'England, 100 runs all out. India, 436 for none.'

Fe aeth hynny lawr yn well.

Ymlaen â ni i Alahabad. A'r prysurdeb yn cynyddu.

Roedden nhw'n disgwyl can miliwn yno dros y cyfnod cyfan, yn cynnwys deg miliwn ar hugain ar y Mawni Amavasia, y diwrnod ymdrochi pwysicaf. Ystyrir y *Kumbh Mela* fel rhyw gyfuniad o fytholeg ac astroleg. Bob deuddeng mlynedd credir fod dŵr yr afon yn troi'n neithdar ar adeg benodol, Amavasia, sef Diwrnod Lleuad Newydd. A hynny mewn man penodol, Asangam. Pan oeddwn i yno roedd yr achlysur yn disgyn ar ddeuddeng wrth ddeuddeng mlynedd, rhywbeth na wnâi ddigwydd ond unwaith mewn oes.

Wrth ymdrochi yn yr afon roedd yr Hindŵ yn cyrraedd *Moksha*, sef y cyflwr o ryddhad o'r *Samsara*, sef cylch diddiwedd geni a marw. Mae hyn yn un o gerrig sylfaen Hindŵaeth a holl bwrpas y *Kumbh Mela*.

Er mwyn croesi'r afon roedd nifer o bontydd dros-dro, neu pontŵns wedi eu codi. A'r pontydd hynny yn cludo miloedd diddiwedd ar draws y dŵr. Er mwyn cael cymaint o bobol yn yr un lle fe fyddai angen Eisteddfod Genedlaethol ar gyfer pob dydd o bob wythnos am saith mlynedd. Fe wnaethon ni groesi yng nghanol pobol o bob maint, oedran, lliw a llun, rhai wedi teithio o waelod India am fisoedd. Roedd hi wedi bod yn hawdd i ni wrth deithio ar awyren ac ar drên. Roedd llawer o'r bobol hyn wedi cerdded. A ffydd oedd eu symbyliad.

Roedden ni wedi'n cofrestru ar gyfer pabell yn Sector Chwech o'r gwersyll enfawr. Gwersyll? Roedd y lle yn ddinas ynddo'i hun. Miloedd ar filoedd o bebyll wedi'u codi ar hyd glan yr afon. Fe wnaethon ni grwydro am dair awr yn chwilio am *Ashram*, pabell sanctaidd y'n gwahoddwyd ni i fynd iddi. Dyma benderfynu, yn hytrach na rhoi pwysau ar y ddau ohonon ni, y byddwn i'n parhau â'r chwilio. Fe adewais i Hughes ger pabell Merched y Wawr a'i rybuddio i beidio â symud.

Fe ges i gyfle wrth chwilio i fynd drwy'r ffeithiau anhygoel oedd ynghlwm â'r digwyddiad. Yno roedd mil a hanner tap dŵr. Dwy fil ar bymtheg o oleuadau stryd. Un fil ar ddeg o blismyn. Tair mil ar ddeg tunnell o wenith. Pum can tunnell o reis. Tri chwarter miliwn o dai bach. Naw can cilomedr o hewlydd. Pymtheg pontŵn dros dro. Ac un Cymro bach o Drebôth. Erbyn trannoeth fe fyddai pedair gwaith poblogaeth Llunden wedi cyrraedd y ddinas dros dro ar lan y Ganges. A phawb yn gydradd, o'r dyn busnes cyfoethocaf i'r cardotyn tlotaf. A ffydd yn eu gwneud nhw'n gyfartal.

Mae'n debyg i lawer o sêr ofyn caniatâd am gael bod yno ond iddyn nhw gael eu gwrthod. Richard Gere, Madonna a Paul McCartney. Ond fe gafodd y Dalai Lama wahoddiad. A finne.

A dyna lle'r oedd e yn sefyll ar lan y dŵr yn dal ffagl addurnedig, y fflamau'n goleuo ei wyneb gyda miloedd o'i ddilynwyr a ffyddloniaid eraill o'i gwmpas. A dwsinau o griwiau camerâu yn ei ffilmio.

Fe blygodd y Dalai Lama wedyn ger yr afon gan ymestyn ei law i mewn cyn taenu dŵr o'r Ganges ar ei dalcen ei hun. A'i wên a'i chwerthin mor ddireidus ag erioed. A'i lygaid disglair yn ennyn gwên ble bynnag yr âi. Mor braf oedd gweld y Bwdistiaid a'r Hindwiaid yn cydgymysgu ar y fath achlysur hanesyddol.

Ac yna – fedrwn i ddim credu'r peth – dyna lle'r oedd e'n sefyll o fewn ugain troedfedd i fi. Oedd gen i obaith cyfarfod ag e? Falle y deuai e i'r King's Arms i Drebôth un diwrnod. Ond rwy'n tyngu iddo fe droi ata i gan wincio a sibrwd dan ei anadl, *'Scarlets for the cup'*!

Yn y tywyllwch, wedi i bawb gilio, fe wnes i ffeindio rhywbeth yn llithro lawr yn nŵr yr afon. Baner Tibet. Fe fyddai honno'n mynd 'nôl i'm stafell wely i. Ond cyn hynny, 'nôl i Sector Chwech. A chysgu.

Y bore wedyn, cael sgwrs ag un o'r miloedd o Yogis oedd yno tra oedd e'n peintio'i gorff a'i wyneb. Roedd y darnau gwyn ar ei dalcen yn cynrychioli ôl traed ei dduw a'r symbol coch rhyngddyn nhw yn symbol o'r duw ei hun. Fe fyddai'r symbolau hyn yn ei amddiffyn rhag lwc ddrwg.

Cwrdd wedyn â'r *Swami* Kawshalendra Propanacharia yn ei wisg wen ac yn canu cloch fach bres. Roedd pob math o sectau crefyddol yn cymryd rhan yn y *Mela*, pob grŵp o dan arweiniad eu *Swami*, neu eu harweinydd eu hunain. Roedd y disgyblion i gyd yn byw o fewn cyrraedd i *Ashram* y *Swami*. Ac ystyr *Swami* yw Gwaredwr Tywyllwch neu Un Sy'n Llawn Doethineb. Hynny yw, sant byw. Roedd gan ein *Swami* ni ddau gant o ddilynwyr selog, a llawer mwy o ddilynwyr ymylol. Braint i'r dilynwyr oedd drachtio o'r dŵr oedd wedi golchi traed eu meistr y bore hwnnw.

Un tro fe gawson ni wahoddiad i deithio yng nghwmni rhyw Maharishi yn ei gar. Ro'wn i a rhywun arall yn teithio yn y cefn wrth i ni yrru drwy dorf o filiynau. Ac yn sydyn dyma'r bobol o gwmpas yn dechrau hitio'r car. Roedd llenni dros y ffenestri agored ond roedd dyrnau yn cael ei gwthio rhwng y llenni wrth i'r bobol geisio'n hitio ni. Yr hyn oedd wedi digwydd oedd fod y gyrrwr wedi gyrru dros goes rhywun a'r dorf yn credu iddo wneud hynny'n fwriadol. Ond wyddai e ddim fod unrhyw ddamwain wedi digwydd.

Ond maint y dorf sy'n aros yn y cof. Fe gâi'r miliynau oedd yn y *Mela* eu bwydo gan y gymuned. A châi neb ei wrthod, yn ein cynnwys ni. Roedd yr *Ashram* yn dibynnu'n llwyr ar roddion gwirfoddol.

Ro'wn i'n gobeithio cwrdd â'r *Sadhu*, pobol yn cerdded o gwmpas yn noeth ac yn byw mewn ogofau gan fwyta dim ond cnau. Pobol ryfedd, gyfriniol. Wn i ddim a oedd unrhyw un o'r tu allan yn eu deall nhw. Tebyg iawn i'r Orsedd.

Fe fyddai'r *Sadhu* yma yn crwydro'r wlad gan gario dim ond pot o ddŵr. Ac roedd ganddyn nhw bŵerau arbennig, fel y gallu i hofran uwchlaw'r ddaear a diflannu cyn ailymddangos yn ôl y gofyn. Yn y *Mela* roedd rhai ohonyn nhw'n graddio. A'r symbol o hyn oedd cael torri eu gwallt, a hynny am y tro olaf yn eu bywyd. Fe welson ni'r prif *Sadhu*, a oedd yn cynnal y seremoni *Pin Dahn*. Fe gawson ni gyfarfod ag e a chael cadarnhad o bwysigrwydd y seremoni.

Yng nghanol y seremonïau roedd yno ganu a dawnsio. A phawb yn codi arian am i ni eu ffilmio nhw. Fe wnaeth un ohonyn nhw esbonio'r pwysigrwydd o gael ei drochi yn y Ganges. Ddim ond bob 144 mlynedd fyddai *Mela* fel hyn yn digwydd, felly hwn fyddai ei unig gyfle mewn bywyd. Roedd cael trochi yn y dŵr, yn ôl un wraig, 'yn brofiad bendigedig'. Fe wnes i ofyn i un bachgen ifanc pam oedd e yno a chael yr ateb syml, 'Am fod Mam yma.'

Fe fyddai'r pererinion yn dychwelyd adre yn cario dŵr sanctaidd o'r afon a thywod sanctaidd o'i glannau. Fe wnaethon ni gwrdd ag un teulu oedd wedi dod yr holl ffordd o Lunden. Fe fydden nhw hefyd yn dychwelyd gyda dŵr a thywod.

Roedd cymaint o bethe'n digwydd, fe fedren ni fod wedi ffilmio cyfres gyfan ar yr ymweliad hwn yn unig. Fe fyddwn ni'n ffilmio cymaint o ddigwyddiadau, weithiau tua deg tâp o 25 munud yr un. Rwy'n teimlo'n rhwystredig yn aml mai dim ond un rhaglen gawn ni allan o'r cyfan. Yn anffodus fedrwn ni ddim dangos mwy, ond mae cymaint o olygfeydd a digwyddiadau yn mynd yn wastraff.

Y *Kumb Mela* yw'r ffair, neu'r ŵyl, fwyaf yn y byd, ffair yn llawn addolwyr a pherfformwyr lliwgar. Ro'wn i wedi gobeithio cael ychydig oriau o gwsg cyn y prif ddigwyddiad. Ond yn anffodus roedd rhyw Terry Wogan lleol wedi penderfynu dweud gair dros yr uchelseinydd. Ar ôl hanner awr, roedd e'n dal i bregethu. A chwsg ymhell, bell i ffwrdd. Wedyn dyma ddeall mai'r hyn roedd e'n wneud oedd cyhoeddi enwau'r bobol oedd ar goll. Deg mil bob dydd. Yn anffodus roedd yr enwau yn cael eu cyhoeddi yn ddi-dor ddydd a nos, a hynny'n golygu na wnaethon ni gysgu rhyw lawer. Ar ben hynny, un noson fe gyrhaeddodd yr heddlu a'n pwnio ni â ffyn. Roedden nhw byth a hefyd yn symud pobol ymlaen. Fe ddihunon ni a dechre gweiddi '*Press! Press!*' gan ddangos ein bathodynnau swyddogol. Fe wnaethon nhw stopio wedyn. Ond roedd y sŵn dros y meicroffôns yn ofnadwy wrth i'r swyddogion ddal i gyhoeddi enwau'r rhai oedd ar goll. Yno hefyd fe wnaethon ni golli camera. Fe wnaeth rhywun ei ddwyn wrth i ni ffilmio. Roedd y camera wedi'i glymu'n sownd wrth

124

offer arall â strap. Ond fe ddiflannodd rywffordd neu'i gilydd.

Yna, ar noswyl y digwyddiad mawr roedd tyndra yn yr awyr wrth i ni ddisgwyl am y wawr. Am hanner awr wedi pedwar y bore roedd yna 25 miliwn o bererinion wedi cyrraedd. Ac eraill yn dal i gyrraedd yn heidiau. Roedd trigolion pentrefi cyfan yn cyrraedd law yn llaw. A thra o'wn i bron â rhewi, roedd menywod a phlant, pobol hen ac ifanc yn trochi eu hunain yn yr afon. A'u ffydd yn eu harbed rhag iddyn nhw rewi'n gorn. Yna cerbydau lliwgar, yn dractors a thrêlyrs a cheffylau yn arwain gorymdaith o bobol yn cario baneri. A'r dwndwr, y canu, y llafarganu a'r chwibanu yn cyrraedd eu huchafbwynt. Dyma beth oedd carnifal crefyddol mwya'r byd.

Wrth i'r wawr dorri fe gafodd y *Sadhu* yr anrhydedd o arwain y deg miliwn ar hugain o ffyddloniaid i olchi eu pechodau yn nŵr y Ganges, y neithdar sanctaidd. Dyma oedd uchafbwynt y *Kumbh Mela*.

Hanner awr wedi chwech ar fore olaf y *Kumbh Mela*. Roedd hi'n eithriadol o oer. Ac fe wnes i adduned. Petawn i'n dal yn fyw ymhen deuddeng mlynedd, fe fyddwn i 'nôl.

Ac fe fydda i.

Nid dyna ddiwedd stori'r ymweliad â'r *Kumbh Mela*. Dyna'r rhaglen a enillodd i fi wobr y Gymdeithas Deledu Frenhinol fel y cyflwynydd rhanbarthol gorau ac a enillodd Wobr Bafta i Hughes fel y dyn camera gorau. Fe wnes i fynd i Lundain i dderbyn y wobr. Kirsty Young oedd yn cyflwyno'r sioe, a phan alwodd hi arna i, fe wnes i gerdded i'r llwyfan a rhoi clobyn o gusan i'r bachan oedd yn cyflwyno'r tlws. Fe gafodd e dipyn o sioc. Wedyn fe wnes i araith fach neis yn diolch am yr anrhydedd gan ddweud na fyddai hyn yn golygu llawer yn Lloegr, ond i ni, mewn gwlad fach, roedd e'n golygu llawer.

A dyna pryd wnes i ddiolch i Mrs Dilys Davies o 39, Alfreda Road, am roi un i fi pan fydde ei gŵr hi bant. Roedd Kirsty Young yn chwerthin cymaint, fe fethodd hi fynd ymlaen â'r sioe. Ond fe gydiodd rhai o'r enillwyr eraill yn y jôc. Fe ddwedodd Julie Walters mai hi oedd Dilys Davies. Jonathan

Ross wedyn yn dweud ei fod e'n ofni fod ei wraig wedi cael rhyw â'r cyfarwyddwr rhanbarthol yn 39, Alfreda Road. Ac yn ddiweddarach fe wnes i dderbyn llythyr o ddiolch oddi wrth Roy Hudd am i fi ysgafnhau'r noson.

14
Mynd i'r Carnifal

Wrth feddwl am ddinasoedd mwyaf rhamantus y byd, mae un
yn sefyll mas yn fwy na'r un ddinas arall i fi. Mae cyfansoddwyr
wedi canu caneuon am y lle, mae pobol enwog – sêr y byd i gyd
– yn mynd yno ar eu gwyliau. Mae nofelau wedi eu hysgrifennu
am y ddinas. Ac, yn fwy na dim, canwyd amdani gan neb llai na
Hogia'r Wyddfa. Enw'r ddinas? Rio de Janeiro. A do, fe ganodd
Hogia'r Wyddfa am 'Y Ferch ar y Cei yn Rio'. Sori, TH Parry-
Williams.

Mae Rio yn dod â delweddau arbennig i'r meddwl. Rio de
Janeiro, Brasil, dinas yr heulwen a cherddoriaeth, merched pert
ar draethau melyn, pêl-droed a'r Maracana. Dawnsio. Pobol
gynhyrfus, groesawgar ac allblyg. Ond, yn fwy na dim, mae Rio
yn enwog am y *Carnaval*. A dyna pam wnes i fynd yno.

Ein gwahoddwyr ni oedd *Paraiso do Tuiuti*, sef Aelwyd
Aderyn Paradwys. Ydyn, mae'r timau sy'n cystadlu yn y
Carnaval yn cael eu galw yn Aelwydydd, fel yr Urdd yng
Nghymru. Roedd *Paraiso do Tuiuti* eisoes wedi cystadlu mewn
pump a deugain *Carnaval*. Y flwyddyn cynt fe'u dyrchafwyd i'r
Brif Adran. A'u breuddwyd y tro hwn fyddai aros yno.

Yn gynta fe ges i wersi ar y drymiau. Ac fe ddwedodd fy
hyfforddwr fy mod i'n swnio'n union fel Ginger Rogers. Rwy'n
credu mai Ginger Baker roedd e'n feddwl. Gwersi dawnsio
wedyn, a'r hyfforddwr y tro hwn yn dweud fy mod i'n dawnsio
fel Ginger Baker.

Roedd hi'n amlwg fod y *Carnaval* yn bwysig i bawb yn y
gymuned ac yn creu brwdfrydedd ymhlith yr ifanc a'r hen fel ei
gilydd. A phawb wrthi'n ymarfer eu dawnsio, eu canu a'u
drymio. A'r bangio drymiau yn mynd yn ddi-stop drwy'r dydd,
a thrwy ran helaeth o'r nos hefyd.

Yn araf bach ro'wn i'n cael fy nhynnu i mewn i'r profiad, a'r
bît yn dechrau gafael ynddo' i. Nid chwarae plant oedd yr

ymarfer. Roedd pawb yn cymryd y peth o ddifri gan ganolbwyntio ar bob nodyn, pob symudiad, pob curiad.

Erbyn i fi fod yno am ychydig ddyddiau'n unig, ro'wn i'n dechrau teimlo'n rhan o'r cynnwrf. Oedden nhw'n mynd i lwyddo neu beidio? Roedd brwdfrydedd y bobol yn heintus ac yn cydio. Welais i erioed gymaint o bobol brydferth gyda'i gilydd, a phob un ohonyn nhw'n medru dawnsio. A dim ond yr ymarfer oedd hyn. Sut fyddai hi yn y *Carnaval* go iawn?

Roedd canolfan y *Tuiuti* o dan drosffordd brysur. A chyda chryn ddyfeisgarwch, fe wnaethon nhw logi'r sgwâr fel maes parcio i godi arian ar gyfer y *Carnaval*. Roedd un wal yn olrhain hanes yr Aelwyd o 1994, pan ddaethon nhw'n ddegfed yng ngrŵp C, grŵp israddol, ymlaen i fod yn bumed, yn drydydd ac yna'n gyntaf. Wedyn, symud i fyny i Grŵp B yn 1999 a symud i fyny eto i Grŵp A yn y flwyddyn 2000 gan ennill o hanner marc i gyrraedd y brif Adran, neu'r *Grupo Especial*, a oedd yn cynnwys pedair ar ddeg o Aelwydydd. A'r bwriad y tro hwn oedd aros yn aelodau o'r *Grupo Especial*.

Wrth i'r diwrnod mawr nesáu, roedd cynnwrf yn yr awyr a phawb yn cyfrannu mewn rhyw ffordd neu'i gilydd. A wir i chi, fe ges i wahoddiad i ymuno â nhw yn y *Carnaval*. Roedd yna gymaint o waith i'w wneud, a thair mil o bobol i wneud y gwaith hwnnw. Roedd angen, yn un peth, ddewis gwisgoedd. Roedd llun pob gwisg wedi'i gynnwys mewn math ar gatalog a ro'wn i'n edrych ymlaen at weld pa wisg gawn i.

Y cyfarwyddwr cyffredinol oedd Waltino. Ef oedd yn gorfod dehongli'r thema mewn ffordd greadigol wrth gadw'r momentwm i fynd. Ac fe gyrhaeddodd fy ngwisg i mewn bag plastig sbwriel du. Y thema, meddai Waltino, fyddai'r 'Moor yn y Castell', wedi'i ysbrydoli gan nofel Paulo Georges Bourdoukan, *Um Mouro No Quilombo*. Gyda phum niwrnod i fynd, awn i ddim mor bell â dweud fod pawb mewn panig ond roedden nhw'n gweithio o ddeg i ddeuddeg awr y dydd.

Mae nofel Bourdoukan yn olrhain hanes y Capitao Mouro, Capten y Moors, a'i daith o Affrica i Frasil. Ar gyfer y *Carnaval* fe fyddai gyda ni saith fflôt, saith sector yn yr orymdaith a phob un yn cyfleu elfen wahanol o fywyd y Moor.

Dim ond un o ddeg elfen oedd y thema. Roedd y lleill yn cynnwys dawnsio'r *Samba*, y gân, y gwisgoedd, baneri ac addurniadau a drymiau. Fe fyddai pob elfen yn ennill marciau ar y noson fawr.

Diwylliant cwbwl Affricanaidd sydd y tu ôl i'r *Carnaval*, a ddechreuodd pan gludwyd caethweision draw i Frasil i lafurio yn y planhigfeydd dros ganrif yn ôl. Yr unig fannau lle medrai'r caethweision godi eu cytiau oedd ar y bryniau serth a diffaith o gwmpas y ddinas. Ac yno yn y *'shanty towns'* neu'r *Favelas* y datblygodd y *Samba*. Fe gychwynnwyd yr ysgol *Samba* swyddogol gyntaf yn y dauddegau gan Pedro de Sao. A chydag ychydig o help gan fewnfudwyr Ewropeaidd, fe ddaeth yn rhan annatod o'r diwylliant gan dyfu i fod yn wledd ysblennydd i'r llygaid a'r clustiau ac yn enwog drwy'r byd. Roedd y *Favelas* yn dal yn ardaloedd gwaharddedig i *Gringos* neu ddieithriaid fel fi. Ond roedd ein gwesteiwyr yn Sao Cristovao yn gofalu amdanom wrth i ni sgwrsio â rhai o'r trigolion am y *Carnaval*.

Fe esboniodd un ohonyn nhw ei fod e'n ddeugain oed ac wedi gweithio gyda'r *Tuiuti* ers deng mlynedd ar hugain. 'Rwy'n ddyn tân yn y fyddin, ond un flwyddyn fe wnes i ddianc er mwyn cymryd rhan. O ganlyniad fe ges i fy ngharcharu am ddeng niwrnod ar hugain. Ond roedd e'n werth hynny gan mai'r *Tuiuti* oedd y pencampwyr y flwyddyn honno.'

'Mae'r *Carnaval* yn fodd i fyw,' meddai un hen wraig. 'Rwy wedi cymryd rhan ers tua phum mlynedd ar hugain,' meddai gŵr canol oed. 'Fe wnes i chwarae'r drymiau i ddechrau cyn ymuno ag Adran y *Maria Augusta*.'

Roedd y *Favelas* yn beryg bywyd i bobol ddieithr oherwydd y gangiau cyffuriau. Ond yng nghwmni Donna Iolanda ro'wn i'n saff, gan ei bod hi'n aelod o deulu adnabyddus yn yr ardal ac wedi ymddangos yn y *Carnaval* bob blwyddyn er pan oedd hi'n groten.

'Rwy mor gyfarwydd â bod yn rhan o'r Aelwyd fel y byddwn i ar goll hebddi,' meddai Donna. 'Mae'r *Carnaval* yn llenwi fy nghalon.'

Roedd Donna yn priodoli llwyddiant y *Tuiuti* i Amarildo Felipe, *Presidente* Aelwyd y *Tuiuti*. 'Mae yna hanes yn perthyn i'r Aelwyd,' meddai Amarildo. 'Bu'r ysgol *Samba* yn boblogaidd ymysg y bobol o'r dechrau cyntaf. Ond roedd angen creu cysylltiadau gyda busnesau lleol er mwyn codi digon o arian i gymryd rhan. Mae'r *Carnaval* yn fusnes costus a ninnau'n dlawd. Does dim byd i'w gael i'r bobol yn y *Favela* nac yn y ddinas. A phetai'r Aelwyd yn cau, fe fyddai yna anhrefn, a phobol yn marw o ganlyniad.'

Roedd Rio yn medru bod yn lle peryglus, yn enwedig y *Favelas*. Yn ffodus roedd Waltino yn adnabod y bobol leol, felly roedd hi'n ddiogel i ni ffilmio yno. Ddeufis cyn i ni gyrraedd roedd rhywrai wedi saethu at ddau ymwelydd dieithr gan feddwl mai ysbiwyr yr heddlu oedden nhw. Ac ar yr union fan lle wnaethon ni ffilmio'r cyfweliad roedd merch wedi'i saethu'n farw mewn ffrwgwd rhwng gangiau cyffuriau.

Braf oedd cael egwyl ger un o'r traethau. Fe ges i awydd chwarae'r gitâr a chyfansoddi *calypso*.

Merch o Alltyblaca'n mynd heibio,
Gofyn iddi, shwd mae'n ceibo.

Na. Cynnig arall:

Gweled merch o dre Pontlotyn,
Mae hi'n mynd mas gyda Sgotyn

Na, doedd yr awen ddim yn cydio. Dyma ofyn i Alun beth oedd enw'r lle. Ei ateb e oedd Ipanema. A phopeth yn dod yn hawdd.

Merch o Ipanema'n mynd heibio,
Wi'n gofyn iddi, sut mae'n ceibo.

Gwell, ontefe? Chi'n cofio Astrud Gilberto a'r Ferch o Ipanema?

Yr ymweliad â Rio oedd un o'r rhai neisaf o'r cyfan. Fel arfer mae gofyn i ni godi'n fore a ffilmio drwy'r dydd ac ymlaen i'r nos. Yn Rio, gan ein bod ni'n canolbwyntio ar gystadleuaeth y *Carnaval*, ddim ond yn ystod y dydd roedden ni'n ffilmio. Roedd ganddon ni amser sbâr i fwynhau'n hunain. Ac yn ystod y pum niwrnod olaf, roedden ni o gwmpas y pwll nofio drwy'r dydd. Peidiwch â dweud wrth S4C, cofiwch. Ond doedd fawr i'w wneud ond eistedd rownd y pwll a mynd i grwydro'r traethau. Fe aeth Rhian lawr i'r traeth am saith o'r gloch un bore. Fe adawodd hi ei sgidiau ar y traeth a cherdded drwy'r tonnau. Pan ddychwelodd hi roedd y sgidiau wedi eu dwyn.

Breuddwyd unrhyw grwt ar unrhyw stryd neu ar unrhyw draeth ym Mrasil yw chwarae pêl-droed, neu *futebol,* dros ei wlad a sgorio yn stadiwm fwya'r byd, y *Maracana.* Dyma deml pêl-droed y wlad, stadiwm sy'n dal 100,000 o gefnogwyr ac a wnaeth, pan gynhaliwyd gêm derfynol Cwpan y Byd yno yn 1950, ddal 200,000. Rhaid oedd galw yno a sgorio gôl. Ond ddim ond yn fy meddwl.

Fe wnes i fynd yno a chael yr olygfa ryfedda welais i erioed. Tân gwyllt ym mhobman. A baner anferth yn cael ei phasio i lawr yr eisteddle fesul rhes, pawb yn gweithio gyda'i gilydd. A dal i freuddwydio am sgorio'r gôl berffaith yno.

Troi at y papur lleol. Dim sôn am y gôl ddychmygol wnes i sgorio y noson cynt. Ond beth oedd gan y lle i'w gynnig y noson honno ar gyfer Hughes a fi? Roedd dewis. Darlith ar ddawnsio gwerin traddodiadol yn yr amgueddfa. Neu yr Erotic Ball yn y *Scala.* Dewis anodd. Mynd i'r *Scala* a chanfod mai hon oedd noson fawr y Ddawns Hoywon. Fe ddylwn i fod wedi mynd i'r amgueddfa. Ond i'r Scala yr aethon ni. Nid fy mod i'n hoyw, ond rwy'n barod i helpu mas pan maen nhw'n fishi. Ond oedd raid i Hughes wisgo'r fath sgert?

Ymhlith y rhai oedd wedi gwisgo lan roedd un yn debyg iawn i Gwyn Erfyl. Ac yno hefyd fe welais i rywun tebyg i Emyr Wyn yng nghanol aelodau'r Orsedd. A finne'n meddwl fod Treforys yn lle gwyllt.

O'r diwedd fe wawriodd y diwrnod mawr. Diwrnod y gystadleuaeth yn y *Sambodromo*. A phawb â'i wisg yn ei law yn disgwyl yn bryderus. Gwisg, ddwedais i? Amdana i roedd rhywbeth tebyg i sgert fini lliw aur a phâr o sgidiau yr un lliw fyny at fy mhenliniau. Beth ddwedai'r bois 'nôl yn y clwb rygbi? Roedd y dillad hyn yn fwy addas ar gyfer y Ddawns Hoyw y noson cynt. Dros y cyfan, dyma wisgo rhywbeth tebyg i bâr o adenydd lliw melyn a glas. A het fawr o'r un lliw gyda phluen felen arni, rhywbeth tebyg i'r hyn fyddai Mam yn ei gwisgo ar gyfer Cymanfa Ganu Trebôth 'nôl yn y Chwedegau. Ond beth oedd yr ots, roedd pawb arall yn edrych mor ynfyd â fi.

Roedd llawer o bobol wedi bod wrthi'n paratoi ar gyfer yr achlysur mawr. Ond doedd llawer ohonyn nhw ddim yn medru fforddio talu am fynd i mewn i weld y perfformiad. Eu hunig gyfle oedd ein gwylio ni cyn i ni fynd allan i ganol y *Sambodromo*, sef stryd wedi'i haddasu'n rhyw fath o stadiwm ar gyfer yr achlysur. Ac fe ddalion nhw ar y cyfle i ddymuno'n dda i ni.

Roedd dwy awr eto i fynd â'r lle yn ofnadwy o dwym. Cofio am ddau foi yn y *sauna*, un yn dioddef o wasgedd gwaed uchel a'r llall â dŵr ar ei ymennydd. 'Yffach,' medde un, 'mae hi'n dwym fan hyn.' A dyma'r llall yn chwibanu trwy'i drwyn.

Roedd y *Sambodromo* yn dal dros drigain mil o bobol. A thros ddwy noson fe fyddai pedair Aelwyd ar ddeg yn cystadlu am y gorau. Fel newydd-ddyfodiaid i'r Brif Adran, y *Paraiso do Tuiuti* fyddai'r cyntaf i orymdeithio. Anfantais oedd hynny gan mai ni fyddai'n gorfod twymo'r dorf. A newyddion drwg – roedd rhai o'n haelodau ni'n hwyr ac yn mynd i golli'r agoriad. Ar ben y cyfan roedd fy ngwisg i yn dechrau datgymalu a'm het i yn disgyn bant. Fe fu'n rhaid i fi wisgo'r het tu ôl ymlaen.

O fynd allan i olwg y dorf roedd y cyfan yn un storm enfawr o liw a cherddoriaeth, pobol yn canu, drymiau'n taro a merched siapus yn siglo'n nwydus. Môr o felyn a glas, a chymeradwyaeth y dorf bron â boddi'r cyfan. Ac yna, geiriau'r gân yn mynd yn angof. Fe wnes i ganu cân Gymraeg, yn y gobaith na fyddai neb yn sylwi.

Lleucu-a-Llwyd a, rwyt ti'n a-hardd-a,
Lleucu-a-Llwyd-a rwyt ti'n werth-a-y byd i mi-a . . .

A wir i chi, sylwodd neb.

Roedd y fflôts yn hardd, ond y bobol oedd yn rhoi bywyd i'r *Carnaval*. A bant â ni o ddifri o'r diwedd o gwmpas y stadiwm. A'r sŵn yn fyddarol. Fe gymerodd awr i ni fynd o gwmpas y lle. Ac yna, roedd y cyfan drosodd a chriw o lanhawyr yn brwsio'r llawr ar gyfer yr Aelwyd nesaf. Yn ôl ymateb y dorf roedd pethe wedi mynd yn dda. Ond beth am ymateb rhai o'n cefnogwyr?

'Fe fyddwn ni'n aros yn y Brif Adran,' meddai un yn hyderus. 'Ymateb da gan y dorf,' meddai un arall. 'Falle na chawn ni ganlyniad da, ond roedd e'n brofiad gwych ac yn dda iawn i gymuned Sao Cristovao.' Ond geiriau o rybudd gan un arall, 'Rwy'n teimlo ychydig yn drist. Fe fedren ni fod wedi gwneud yn well. Fe gawn ni weld beth fydd y canlyniad. Mae'r galon yn curo.' A rhybudd arall, 'Fe aeth pethe'n dda, dwi'n meddwl. Ond roedd yna broblemau. Heb os, mae'r diffyg profiad o gystadlu ar y lefel uchaf yn gwneud gwahaniaeth. Ond rwy'n teimlo fod y *Tuiuti* wedi dangos eu natur a'u cymeriad.'

Ond beth am farn Waltino, y Presidente? 'Rwy wedi rhedeg o gwmpas drwy'r dydd ac wedi cyrraedd yma o dan straen. Falle mai dim ond fi sy'n teimlo braidd yn isel.'

Ond y cystadlu, ynte. Dyna oedd yn bwysig. Nid yr ennill ond y cystadlu. Beth oedd Hughes yn ei feddwl? Roedd e'n ysgwyd ei ben. A Hughes oedd yn iawn. Ie, yr ennill oedd yn bwysig. Ac yn ddiweddarach fe wnaethon ni glywed fod *Tuiuti* wedi bod yn aflwyddiannus ac felly yn disgyn allan o'r Brif Adran. Siom fawr i ni i gyd. Y buddugwyr oedd yr *Imperiantes Leopold Dineze*. A chwarae teg iddyn nhw, roedden nhw'n haeddu ennill.

Ond dyna ni, daw dydd y bydd mawr y rhai bychain. Y flwyddyn nesa, fe ddeuai cyfle arall. Ac ym myd y *Sambodromo* roedd unrhyw beth yn bosib.

15
Fietnam

Pan oeddwn i'n ifanc 'nôl yn y Chwedegau, ie, flynyddoedd maith yn ôl, y newyddion mawr oedd yn llenwi'r teledu a'r papurau newydd oedd y rhyfel yn Fietnam. A byth ers hynny ro'wn i wedi bod eisiau gweld sut wlad oedd hi a sut bobol oedd yn byw ynddi, sef y rhai a fu'n ei hamddiffyn hi mor ffyrnig. A dyna pam y cefais i fy hun yno, yn Hanoi.

Yn anffodus roedd fy magiau i yn dal yn Hong Kong. Ond pwy oedd yn becso? Ro'wn i yno, a dyna beth oedd yn bwysig.

> Draw, draw yn Tseina a thiroedd Hong Kong
> Mae fy magiau i;
> Dyna pam rydw i'n drewi fel anadl ci,
> O, halwch fy magiau i fi.

Ie, taith oedd yn ein hwynebu ni o Hanoi, lle'r oedd corff Ho Chi Minh yn gorwedd, i'w ddinas e, Dinas Ho Chi Minh yn y de, sef Saigon gynt. Ond roedd *o*, sef Hughes, am i fi fynd ar gefn beic. Wel, fe wnes i fodloni cyn belled â bod y daith lawr y tyle.

Mangre brysur oedd yn gartre i filiwn o bobol oedd Hanoi, yn nythu ar lan afon Song Hong. Yn wir, ystyr y gair Hanoi yw 'Y Dre yn yr Afon'. Fe fyddai'r daith yn mynd â ni lawr yr holl ffordd drwy'r wlad ar hyd yr arfordir o Gulfor Tongkin, heibio i Fôr De Tseina hyd at Gulfor Gwlad Thai.

Yn y farchnad fe wnes i weld cartre *'male stripper'*. Wel, yr enw uwchben y drws oedd Dai Thong. Nes ymlaen roedd ei frawd e'n byw, Hong Gnoc. A nes ymlaen, un arall, Duc Long. Ac yna cartre *'contortionist'*, Trên Truyen Hyn.

Fe wnes i newid hanner canpunt am arian y wlad, sef y Dong. Wyddoch chi faint o Ddongs ges i? Dros filiwn o Ddongs. Ac mae hynna'n lot o Ddongs, credwch chi fi. Dim ond arian papur oedd ganddyn nhw. Dim arian mân. Ac fe wnaeth hynny i fi feddwl, pan fydde nhw'n chwarae pêl-droed, sut fydde nhw'n penderfynu pwy oedd yn cicio bant?

Roedd dechrau'r daith yn mynd â ni 80 milltir i'r dwyrain i Ha Long. Ystyr Ha Long yw 'y man lle mae'r graig yn disgyn i'r môr'. A hawdd oedd gweld pam. Yn codi o'r dŵr roedd dwsinau o ynysoedd bychain creigiog o bob siâp, yn union fel petaen nhw wedi cael eu llunio gan ryw gerflunydd gwallgof. Dychmygwch Henry Moore ar Ecstasi, a dyna chi.

Fe wnes i ag *o* gyfaddawdu. Gan ei bod hi'n daith mor bell, fe gytunodd Hughes y cawn i dreulio hanner y daith ar drên. Ac i wneud pethe'n well fyth, roedd ganddon ni gerbyd â byncs ynddo fe ar gyfer cysgu. Yn union fel dyddiau Glanllyn. Ond pwy oedd yn gorfod cysgu ar y bync uchaf? Ie, fi, er gwaetha'r ffaith mai fi oedd yr hynaf a'i fod *o* yn ddringwr. Ac, yn waeth na dim, fe wnaeth e wrthod dweud stori wrtha i cyn mynd i gysgu.

Fe wnes i ddihuno am bump o'r gloch y bore, hynny am fod pawb arall, am ryw reswm neu'i gilydd, wedi penderfynu dihuno am bump o'r gloch y bore. Yn union fel petai pawb ar y trên wedi pasio'r neges ymlaen, 'Cofiwch, pan fydd hi'n bump o'r gloch y bore, deffrwch Dewi.'

Fe wnaethon ni gyrraedd Hue, cyn-brifddinas y wlad a chanolfan ddiwylliannol naturiol Fietnam. Ond yn bwysicach i ni, roedd yna le llogi beics. Yn y siop roedd yna gannoedd o feics. Dim ond un ro'wn i ei angen. Roedd Hughes, os gwelwch chi'n dda, yn bwriadu teithio ar fotor-beic. A dyma ganfod y byddai hi'n haws prynu beic na llogi un. Dim ond £35 gostiodd beic newydd i fi. Ac ar ben y daith fe fedrwn i ei werthu am bron iawn yr un pris. Ond, yn gyntaf, rhaid oedd rhoi prawf i'r beic newydd. Cychwyn digon addawol nes i Hughes weiddi rhybudd. Ro'wn i'n reidio i fyny stryd unffordd. Diawch, roedd y beic yn mynd yn dda. Pwy oedd angen motor-beic? Hon oedd y ffordd i deithio, a hynny dan ganu.

Hen feic penny-farthing fy nhaid,
Wel, sticio at hwnnw sy' raid,
Bydd y dyrfa yn heidio i ngweld i yn reidio
Ar hen feic penny-farthing fy nhaid.

Mynd fel y gwynt, ond y drafnidiaeth lorris a cheir yn pasio ar ruthr a'u cyrn yn canu fel un corws aflafar a diamynedd.

Fe ges i gyfle i oedi yng nghanol yr hen brifddinas yng nghyffiniau hen balas y brenin yn dawel a phell o sŵn a mwg helbulus y dref, ac arwyddion o wychder y gorffennol ym mhobman ar ffurf temlau, llynnoedd a cherfiadau lliwgar. Ond symud oedd raid, allan drwy brysurdeb y dre i weld – wel, i weld beth oedd yno i'w weld allan yn y wlad. Mynd dan ganu unwaith eto:

Byw yn y wlad, byw yn y wlad,
Gyda nheulu, gyda'n ffrindiau,
Byw yn y wlad . . .

Yna canfod criw o blant bach oedd wedi dal pysgod. A rhywfodd, er gwaethaf gwahaniaeth iaith, deall ein gilydd yn berffaith. Braf oedd gweld cenhedlaeth o blant nad oedd yn gwybod beth oedd ystyr rhyfel. Oedd, roedd cysgod y rhyfel a ddarniodd y wlad am flynyddoedd i'w deimlo ymhell, bell i ffwrdd. Gadael y plant yn chwarae yn y môr, ond eu chwerthin yn atsain yn fy nghlustiau yn hir wedi i fi eu gadael. A dyna beth sy'n nodweddiadol o'r teithiau i gyd. Plant yw plant ble bynnag y gwelwn ni nhw. A doedd plant bach Fietnam yn ddim gwahanol o gwbwl i blant bach Cymru.

Teithio ymlaen, a'r pedlo'n dod yn hawdd. A chân yn dychwelyd wrth i fi reidio lawr yr arfordir.

Ar lan y môr mae rhosys cochion,
Ar lan y môr mae lilis gwynion,
Ar lan y môr mae nghariad inne,
Yn cysgu'r nos a chodi'r bore . . .

Troi fy nghap tu ôl ymlaen a phedlo tua'r de. Mae seiclo'n iawn pan fyddwch chi ar ffordd wastad. Dyw pethe ddim mor hawdd pan ddewch chi at riw. Fe wnes i, a dyma golli'r gân a cholli fy anadl. Teimlo'n wael. Yr ateb oedd anadlu'n ddwfn, drachtio'r awyr iach. Awyr iach? Roedd y mwg o'r egsôsts yn llenwi fy ysgyfaint. A dyma sylweddoli pam oedd pawb arall oedd yn seiclo – pawb ond fi – yn gwisgo masgiau. Roedd y mwg yn llethol. Yn iaith Glantaf, weithiau mae bywyd rhy gormod.

Cyrraedd darn mwy gwastad a chyfle i adfer fy anadl. Sylwi fod cychod bach ar draeth ac ar y dŵr gerllaw, cychod yn edrych fel cwryglau afon Teifi. Ddim ond fod y rhain yn rhai cwbwl grwn. Fe esboniodd un o'r pysgotwyr fod y cwryglwyr yn mynd allan â rhwydi gyda'r nos, eu gollwng i'r dŵr a chynnau lampau i ddenu'r pysgod.

Seiclo heibio i ddelw anferth o Bwda. Meddwl am Emyr Wyn. A chyrraedd Hoi Ang, lle'r oedd llawer o bobol Tsieineaidd yn byw. Stop am ddishgled o de. Gerllaw roedd siop teiliwr oedd yn gwneud siwtiau dros nos. Roedd hwn yn gyfle rhy dda i'w golli. Ro'wn i wedi addo i Mam y byddwn i'n edrych yn fwy teidi ar y rhaglenni yma. Mae hi byth a hefyd yn dweud wrtha i fy mod i'n edrych fel tramp. Felly, i mewn â fi. Dim ond dweud y gair 'siwt' oedd ei angen a ro'n nhw'n deall. Dewis lliw wedyn, lliw hufen. Yna cael fy mesur, a hynny am y tro cyntaf ers i fi gael siwt newydd i fynd i'r Ysgol Sul yn Nhrebôth pan o'wn i'n grwt. Archebu siwt dau-fotwm. Er mwyn Mam. Pum munud wnaeth y cyfan gymryd. A'r bore wedyn, roedd y siwt yn barod.

Gyda'r siwt newydd amdana i, bant â fi ar y daith a sylwi ar yr holl waith adeiladu oedd yn digwydd. Adeiladau'n cael eu codi, ffyrdd yn cael eu gosod. Roedd hi'n amlwg fod y bobol wedi sylweddoli gwerth twristiaeth. Ond beth oedd barn y bobol gyffredin? Yn ôl un wraig leol, roedd bywyd wedi gwella'n fawr yn ddiweddar ar ôl diwedd y rhyfel. Ond y newid mwyaf wedi'r heddwch oedd y ffaith nad oedd bomio mwyach. Teimlai fod y datblygiadau diweddar yn beth da gyda'r ffyrdd newydd yn dod â mwy o gyfoeth i mewn.

Yng ngheg yr afon roedd cwch dal berdysod, neu shrimps. Yn ôl y pysgotwyr lleol doedd y tymor ddim cystal â'r un cynt. Ond roedd criw cwch arall yn ddigon hapus eu byd. Roedden nhw wedi bod allan am dridiau a chael tipyn o lwc gan ddod 'nôl â gwerth 400 dolar o elw.

Pysgod a reis oedd popeth yn Fietnam. A'r *'paddy fields'* i'w gweld ym mhobman. Yn ôl un o'r gweithwyr fe fyddai tri neu hyd yn oed bedwar cynhaeaf reis bob blwyddyn, a'r peth pwysicaf oedd sicrhau cyflenwad da o ddŵr. Ac yn croesi'r caeau reis driphlith-draphlith roedd sianelau dŵr fel gwythiennau ym mhobman a dynion a menywod yn tywallt dŵr dros yr egin er mwyn sicrhau cnwd da.

Yn hwyrach yn y dydd fe wnes i basio ffermydd halen ar lan y môr, y dŵr hallt yn cael ei gasglu, yr haul yn sychu'r dŵr gan adael yr halen gwyn, cwrs ar ôl. Chware teg iddyn nhw, roedd y bois hyn yn werth eu halen. Pan glywodd Hughes hynna fe wnaeth e wingo. Wel, doedd hi ddim yn jôc mor wael â hynny, Al.

Yn sydyn, o'n blaen ni yn Nha Trang, cynhebrwng. Ac er bod rhai o aelodau'r teulu yn galaru, roedd y rhan fwyaf yn dathlu am fod yr ymadawedig yn mynd i le gwell. Yn wir, wrth i'r arch gael ei chludo i sŵn clindarddach drymiau roedd yr elor a rhai o'r galarwyr wedi eu gwisgo'n lliwgar a'r olygfa'n debycach i garnifal nag i angladd. Ac os ydyn ni'n credu mewn bywyd gwell ar yr ochr draw, roedd llawer i'w ddweud dros y fath ymddygiad.

'Nôl ar y ffordd fe wnes i ganfod golygfa ryfedd, dyn yn bugeilio cannoedd ar gannoedd o hwyaid swnllyd. Ac er ei fod e'n beth peryglus i'w wneud, roedd ffermwyr lleol yn trin a gwerthu eu cynnyrch ar hyd ochrau'r ffyrdd prysur. O gael eu dal fe fyddai dirwy o 100,000 Dong am weithio ar ymyl y ffordd. Felly, roedd angen gweithio'n gyflym.

Yna, canfod mwy o gychod bach tebyg i gwryglau, ac oedi i

weld rhai o'r pysgotwyr yn eu llunio drwy blethu slatiau pren. Meibion y teuluoedd oedd yn llunio'r cychod, a'r rheiny wedi dysgu'r sgiliau yn ifanc iawn. A dyma sylweddoli nad oedd y cychod hyn, er mor debyg i'n cwryglau ni, ddim hanner mor ysgafn.

Fe gawson ni wahoddiad i fynd allan i'r môr ar gwch pysgota mawr gydag injan. Dydw i ddim wedi bod yn forwr da erioed. Ac yn fuan ro'wn i'n gorwedd ar lawr y cwch yn dioddef yn ddrwg o salwch môr. Erbyn hyn roedd golwg ddigon truenus ar y siwt. Ond roedd Al yn waeth. Y cyngor i rai sy'n dioddef o salwch môr, medden nhw, yw edrych ar y gorwel. Fedrai Al ddim gwneud hynny gan ei fod e'n gorfod ffilmio. Fe wnes i gynnig cyngor arall iddo fe. Y peth ail-orau i rywun sy'n sâl ar gwch oedd eistedd dan goeden. Jôc oedd honna, Al. O nghwmpas i roedd y pysgotwyr yn taflu pysgod di-werth yn ôl i'r môr, a doedd arogl pysgod ddim yn help o gwbwl i wella'r stumog. Fe fuon ni'n sâl drwy oriau mân y bore ac yn gweddïo am dir sych. A rywsut fe wnes i golli pob diddordeb mewn pysgota.

Wedi i'r stumog setlo, ymlaen â ni i Cu Chi, ardal wledig ger Saigon, lle bu llawer iawn o ryfela. Yno, yng nghanol y goedwig, roedd hi'n hawdd dychmygu bod yn filwr Americanaidd yno am y tro cyntaf. Dim i'w glywed ond sgrechian adar. Y milwr yn gwybod fod y Fiet Cong yno yn rhywle. Ond ble? Troedio ymlaen yn ofnus. Gwybod y gallai unrhyw beth ddigwydd. Syllu o gwmpas. Yna, yn sydyn, tri thwll yn ymddangos o'i gwmpas a'r gelyn yn codi o'r ddaear. Bang! Bang! Bang! Dim gobaith.

Yn ystod y rhyfel yn erbyn y Taleithiau Unedig yn y Chwedegau, fe ddaeth twnelau Cu Chi yn fangre chwedlonol. Fe fedrai'r Fiet Cong symud o un lle i'r llall yn y dirgel tra oedd yr Americanwyr yn bomio uwch eu pennau. Fe gymerodd dros chwarter canrif i gloddio a thyllu'r rhwydwaith o dwnelau gyda'r gwaith yn cychwyn yn y pedwardegau adeg yr ymgyrch yn erbyn milwyr Ffrainc. Yn ei hanterth roedd y rhwydwaith yn ymestyn dros 250 cilomedr rhwng y brifddinas a ffin Cambodia.

I mewn â ni, a chanfod nad y ni yn unig oedd yno. Roedd yna gannoedd o ystlumod yn byw yno. Heb sôn am filiynau o fosgitos, pob un yn cnoi fel Jac Rysel. Yma ac acw roedd tyllau yn codi tua wyneb y tir lle medrai milwyr y Fiet Cong gadw gwyliadwriaeth cyn codi'n sydyn a thanio. A chredwch fi, roedd hi'n dwym yno.

Mae pobol Fietnam yn bobol arbennig iawn. Does neb wedi llwyddo i'w trechu nhw erioed. Ddim y Ffrancod, ddim yr Americanwyr. Neb. Maen nhw'n bobol wydn ond yn bobol hyfryd. Maen nhw'n hoffi gwên. A dyna beth rydw'i wedi ei ffeindio rownd y byd. Mae pobol yn ymateb yn llawer parotach i wên nag i agwedd awdurdodol. Gwenwch chi ar bobol ac fe wnân nhw wenu 'nôl.

Fe geisiodd yr Americanwyr chwalu'r twnelau mewn pob ffordd bosib. Ond methu. Bob tro y byddai cyrch bomio fe fyddai'r awyrennau *B52* yn dod 'nôl dros Cu Chi ac yn gollwng eu bomiau sbâr yno. Roedd tyllau'r bomiau hynny i'w gweld yn glir o hyd. Gerllaw roedd mynwent i'r rhai a syrthiodd yn y frwydr yn erbyn y Taleithiau Unedig, a chyn hynny, Ffrainc. Rhesi ar resi o feddau. Sefyll yno'n fud a meddwl am y brwydro gwaedlyd a fu.

Yna, ymlaen, ac o'r diwedd cyrraedd Saigon. O'r diwedd, pen y daith. A finne'n medru dweud i fi deithio o Hanoi i Ddinas Ho Chi Minh ar gefn beic. Wel, ddim yr holl ffordd. Fe wnes i gerdded dwy neu dair milltir.

Nawr 'te, pwy oedd eisiau prynu beic?

16
Dracula

Dychmygwch goedwig ddofn. Mae'r coed yn uchel ac yn dywyll, yn llawn ellyllon erchyll. Mae 'na greaduriaid anferth, hyll yn llechu yno, creaduriaid sy'n medru sugno'ch bywyd chi allan drwy'ch ceg. Fampiriaid sy'n llowcio gwaed o'r gwddf. Bleiddiaid yn udo, dynfleiddiaid yn stelcian a phob math o bethau erchyll ymhob llwyn.

Pan o'wn i'n ifanc, uchafbwynt yr wythnos fyddai'r *matinee* dydd Sadwrn yn y *Regal* yn Nhreforys. Yno ro'wn i'n medru ymgolli yn y sgrîn arian wrth ddilyn fy arwyr, Flash Gordon, y Cisco Kid, Hopalong Cassidy. Ond un yn fwy na'r lleill i gyd, bachan â dannedd rhyfedd, wyneb echrydus oedd yn ymddangos bob nos. Na, nid Roy Noble ond Dracula, draw yn ei gastell unig yng nghanol niwloedd bryniau Transylvania. A-a-a-a-!

Dyna pam wnes i deithio i Bucharest yn Romania, man a oedd yn gychwyn y daith i Transylvania. Yr hyn sy'n gwneud Bucharest yn wahanol i brifddinasoedd eraill Ewrop yw Palas y Bobol. Unben Romania rhwng 1965 a 1989 oedd Nicolai Ceausescu. Ac fe ddymchwelodd saith mil o dai a phymtheg eglwys i greu ei fwthyn bach cartrefol. Y Palas, ar ôl y Pentagon, yw adeilad mwya'r byd.

Yn anffodus iddo fe, chafodd Ceausescu ddim cyfle i ddefnyddio'r adeilad gan i'r Romaniaid ei ddienyddio adeg y chwyldro gwrth-Gomiwnyddol a sgubodd drwy ddwyrain Ewrop yn yr wythdegau. Na, dyw bod yn unben ddim yn fêl i gyd bob amser.

Gan mlynedd yn gynharach, ar ddiwedd y bedwaredd ganrif ar bymtheg, fe ysgrifennodd y Gwyddel Bram Stoker ei glasur brawychus, *Dracula*, y nofel brydferthaf a sgrifennwyd erioed, yn ôl Oscar Wilde. Bu dros gan argraffiad o'r nofel, sydd wedi ysbrydoli sawl ffilm gan ddychryn miliynau o bobol ledled y byd.

Nid dychymyg Stoker yw'r hanes yn gyfan gwbwl. Mae'r lleoliad yng nghanol mynyddoedd uchel Romania, yn y berfeddwlad yn Transylvania. Ac mae'n debyg fod gan gymeriad hanesyddol, Vladislav Dracula, rywbeth i'w wneud ag ef.

Athro ym Mhrifysgol Bucharest a hanesydd blaenllaw fu'n esbonio'r cefndir. Yn ôl Bazvan Teodorescu, roedd gwreiddiau hanesyddol ffeithiol i'r enw Dracula. 'Ystyr Dracula yw Mab Dracul, neu Fab y Ddraig,' meddai Bazvan. Dyna oedd yr enw ar dad Vlad, Tepes Zepu, a oedd yn aelod o Urdd Farchogaidd y Ddraig, teitl a roddwyd iddo gan yr Ymerawdwr Sigis Mundaluxemburg yn 1431.

Fe wnes i yrru o Bucharest ac, ymhen hir a hwyr, dyma groesi'r ffin i galon Transylvania. Pwy allai ddweud beth fyddai'n fy nisgwyl? Yn nythu'n uchel uwchlaw dyffryn Arges roedd Castell Poenari, hen gartref Dracula. Cyn cyrraedd y castell roedd angen dringo pymtheg cant o risiau cerrig. Nid hwn oedd y castell y daethom i'w adnabod drwy nofel Stoker ond yn hytrach castell y gŵr hanesyddol, Vlad. Fe gâi ei adnabod fel *Vlad the Impaler*, neu Vlad y Pawlwanwr. Fe gafodd yr enw oherwydd y pleser a gâi wrth drywanu ei elynion â pholion miniog, hir ac yna eu hongian i fyny yn yr awyr i farw yn araf, araf.

Doedd e ddim yn ddyn hapus iawn. A dweud y gwir, roedd ei hanes yn llawer mwy erchyll na hanes y Dracula y gwyddom ni amdano. Ond wrth ddringo'r pymtheg cant o risiau fe wnes i ddod i'r casgliad na hoffwn i fod yn ddyn llaeth i Vlad y Pawlwanwr.

Y digwyddiad a arweiniodd Vlad ar ei lwybr gwaedlyd oedd llofruddiaeth ei frawd, Mercheia, gan y Boyars, sef aelodau o ddosbarth ucha'r wlad. Wedi i Vlad gael ei urddo'n Dywysog fe ymosododd ar dri chant o'r Boyars a'u gorfodi i gerdded tri chan milltir i Poenari lle, dan fygythiad, fe'u gorfododd i adeiladu'r castell. Drwy hynny fe lwyddodd i ddial ar ei elynion a chael ei gastell ei hun ar yr un pryd. Hwn fyddai'r lle olaf y byddwn i'n treulio noson ynddo ar fy mhen fy hun o feddwl am yr holl waed oedd wedi ei golli wrth adeiladu'r lle.

Ffermwyr digon cyntefig eu ffyrdd oedd yn byw yn yr ardal, pobol yn cerdded eu hanifeiliaid ac yn dal i gribinio gwair â rhaca pren. Yn wir, ychydig iawn o newid oedd wedi digwydd i fywyd yn y rhan helaethaf o Romania ers y Canol Oesoedd. Ac roedd olion yr oes Gomiwnyddol yn prysur ddiflannu. Ceffylau, nid tractorau oedd yn tynnu'r llwythi gwair, mae'n wir, ond roedd cestyll newydd yn codi eu pennau yn Transylvania, ffatrïoedd anferth yn chwydu mwg i'r awyr. Beth ddwedai Vlad?

Cyrraedd tref Sighisoara, lle ceir yr enghraifft orau o bensaernïaeth y bymthegfed ganrif. Yn y dref honno y ganwyd Vlad, ac roedd llechen ar wal y tŷ yn nodi iddo fyw yno rhwng 1431 a 1435. Roedd y dyn a ysbrydolodd Stoker yn codi mwy o ofn arna i na'r cymeriad yn y nofel gan nad ffrwyth dychymyg oedd ei stori ef ond digwyddiadau hanesyddol cywir. Ar y fwydlen yn y tŷ bwyta gerllaw roedd pob pryd yn gysylltiedig â Dracula. Ond wnes i ddim archebu pwdin gwaed. Bob man yr edrychwn i, roedd delw o Vlad yn syllu arna i.

Mae 'na stori am Vlad un diwrnod yn bwyta pryd o fwyd tra oedd tua phum cant o drigolion yr ardal yn crogi ar bolion o'i gwmpas. A dyma un o'i gapteiniaid e'n pasio ac yn crychu ei drwyn.

'Beth sy'n bod arnat ti?' gofynnodd Vlad.

'Fedra i ddim goddef oglau drwg y cyrff,' meddai'r capten.

'Iawn,' meddai Vlad, 'gwell i ni gael polyn uwch i ti fel na fyddi di'n medru gwynto'r oglau drwg yma.'

Ac i fyny ar bolyn yr aeth y capten. Ac fe allwch chi ddychmygu i ble gwthiwyd y polyn! Roedd Vlad yn debyg i Vinny Jones – ond heb ddyfarnwr i amharu arno fe.

Unwaith pan gyrhaeddodd llysgenhadon o Dwrci i gyfarch Vlad, fe wrthodon nhw ddinoethi eu pennau o flaen yr orsedd. Ateb Vlad fu hoelio eu hetiau i'w pennau. Doedd cael eich trywanu gan Vlad ddim yn beth pleserus iawn. Ar y llaw arall, roedd e'n gwneud byd o les i'ch peils chi. Ac er mwyn atgoffa'r Swltan pwy oedd y bòs o ddifri, fe bawlwanodd Vlad ugain mil o'i filwyr.

Ond roedd yna ddwy ochr i gymeriad Vlad Zepesh. Yn gyntaf roedd creulondeb yn rhan o'r oes, sef oes Rhyfeloedd y Groes a theulu'r Borgias. A'r Dywysoges Romanaidd, Elizabeth Bathery wedyn. Fe lofruddiodd honno chwe chant o ferched gan ymolchi yn eu gwaed nhw er mwyn cadw'i chroen yn ifanc.

Ond roedd Vlad hefyd yn wleidydd craff. Tywysog Transylvania o'i flaen oedd John Hyniadi, ac ef a ddysgodd i Vlad y grefft o ryfela gan ei wneud yn ddilynydd i'r Goron er mwyn arbed y wlad Gristnogol rhag y gelyn mawr o'r dwyrain, y Tyrciaid Mwslemaidd. Fe gaiff ei gofio yn Rwmania fel un o wleidyddion ac un o arweinwyr mwya'r genedl, a gadwodd y genedl yn Gristnogol, yn annibynnol ac yn rhydd o grafangau'r Mwslemiaid. Doedd e ddim y math o fachan fyddech chi'n chwarae Snap yn ei erbyn – ac ennill. 'Snap! O-o-o-o . . . '

Petawn i'n gofyn i chi pwy oedd Dracula, beth fyddai eich ateb chi? Fe wnes i ofyn i rai o'r trigolion lleol a chael gwahanol atebion.

'Ef oedd brenin Romania,' meddai un. A meddai un arall, 'Roedd Vlad Zepesh yn hoff o gyfiawnder ac yn cosbi troseddwyr drwy eu pawlwanu. Chwedl ydi Dracula.' Ond yn ôl un arall, 'Dracula, yr un person oedd e â Vlad Zepesh.'

Heb fod ymhell o Bucharest roedd tref Tergoviste, prifddinas Vlad Zepesh yn y bymthegfed ganrif, lle'r adeiladodd e dŵr uchel yn arbennig i wylio'r pawlwanu. Roedd un o arweinyddion diweddar Romania, Ceausescu, yn awyddus i hybu delwedd Vlad Zepesh fel gwir arwr y genedl ac ystyriwyd symud y brifddinas o Bucharest i Tergoviste. Ond fe waharddodd y Comiwnyddion unrhyw gyfeiriad at y Dracula dychmygol a'i gysylltiadau â Romania. A bu'n rhaid i'r wlad aros tan 1989 cyn i'r trigolion fedru darllen y llyfr a gweld y ffilmiau.

Fe wnes i ddringo i ben y tŵr gan edrych i lawr a dychmygu mai fi oedd Vlad.

'Dyna chi, lan ag e . . . A fe hefyd. Ie, lan â nhw! A hi. Yn arbennig hi! O, mae hi'n anodd bod yn arweinydd weithiau. Reit, swper. Stecen fach, rwy'n meddwl!'

I'r gogledd o Transylvania roedd ardal fwyaf traddodiadol Romania, Maramures. Ac fe gawson ni gyfle i weld y bobol yn eu dillad traddodiadol adeg agoriad eglwys newydd. Gwisgai'r dynion mewn du a gwyn a'r merched mewn sgyrtiau a sgarffiau blodeuog, lliwgar. Fe wnes i droi i mewn i'r fynwent – a'i hoffi. Pam? Roedd hi'n fynwent hapus gyda phob cofnod yn lliwgar ac yn adlewyrchu, trwy luniau, gefndir yr ymadawedig. Doedd dim byd yn drist yno o gwbwl. Fe wnes i gyfieithu rhai o'r beddargraffiadau.

Tawder Grigore, bildiwr tai,
Nawr rwy'n gorwedd yn y clai.

Dan Mihai, torrwr coed,
Fe wnes i farw'n ugain oed.

Stan Ion, chwaraewr piano,
Nawr rwy'n gorwedd oddi tano.

Roedd rhai o'r cerrig hefyd yn adlewyrchu colledigion yr Ail Ryfel Byd, eraill yn cofio rhai a fu farw mewn damweiniau. Ond roedd y rhan fwyaf yn adlewyrchu bywydau a marwolaethau cyffredin. Petawn i'n gorwedd yno, ar fy medd medrid ysgrifennu,

Dewi Pws, fe aeth heb ffws.

Allan â ni o'r fynwent a chyfarfod â theulu o dyddynwyr a chrochenwyr, teulu Tanasi. Pobol syml oedd y rhain yn cadw gwartheg, ceffylau a moch ac yn gorfod codi eu cyflenwad dŵr mewn bwcedi wrth raffau o ffynnon ddofn. Doedd bywyd yno ddim wedi newid rhyw lawer dros y canrifoedd. Ond roedden nhw'n bobol hapus eu byd, yn byw yn hamddenol heb orfod dioddef rhuthr ein bywyd modern, technolegol ni.

Fel crochenwyr fe fydden nhw'n cloddio am eu clai rhyw ddeng troedfedd o dan y ddaear a'i gludo adre mewn basgedi gwiail. Roedden nhw wedi bod yn grochenwyr ers deg cenhedlaeth. Ac, o weld diddordeb y plant, roedd hi'n ymddangos fel petai'r traddodiad teuluol yn mynd i barhau. O fewn munudau roedd jwg bridd draddodiadol wedi ei chreu ar yr olwyn.

Roedden nhw'n gwisgo sgidiau rhyfedd, darnau o ledr wedi'u siapio a'u clymu gan linynnau llydan i fyny at y penglin. Sgidiau traddodiadol. Ac fe ddwedwn i fod angen traed traddodiadol ar eu cyfer.

Pan alwais i, roedd y teulu'n mynd allan i godi tatws, a finne'n disgwyl ymlaen am bicnic ar y mynydd. Bant â ni gyda throl yn cael ei llusgo gan ddau ych. Ar ôl taith o hanner awr, cyrraedd ochr y mynydd lle'r oedd y tatw'n tyfu, a phawb yn helpu. A'r gwaith yn troi'n bleser wrth i'r bwyd ddechrau coginio ar radell deircoes uwch tân agored ar y llawr. Roedd y cyfan yn mynd â fi'n ôl hanner canrif i gyfnod pan fyddwn i'n mynd ar wyliau i Chwilog i aros ar fferm lle bydden nhw'n cywain gwair gyda cheffyl a chert. Bywyd syml. Ond hwyrach fy mod i'n rhamantu am mai plentyn o'wn i ar y pryd. Ond roedd pawb yn ymddangos fel petaen nhw'n mwynhau eu hunain. Mae'n drist, mewn ffordd, fod bywyd wedi symud ymlaen mor gyflym, a chael ei saniteiddio gymaint.

Yno ar ben mynydd ym Maramarus, dyna lle'r o'wn i yn gwledda ar selsig, cig moch a tships. Pwy oedd angen *Wimpy*? Yn fuan roedd pawb yn ymuno yn y wledd o gwmpas lliain wedi'i daenu ar y borfa. Ac i olchi'r cyfan lawr, dŵr glân, gloyw. A chyn i ni adael gyda'r cynhaeaf tatws, fe gawson ni gân fyrfyfyr gan holl blant y teulu.

Bum awr yn ddiweddarach roedden ni'n gadael Maramures. A phob milltir yn mynd â ni yn nes at gastell Dracula. Ond rhaid oedd oedi yn ardal Bukovena lle'r oedd mynachlogydd lliwgar, hardd a oedd yn unigryw oherwydd y lluniau oedd yn addurno'r welydd. Roedd y murluniau yn portreadu golygfeydd o'r Beibl, rhyw fath ar *strip cartoons* i gyflyru meddyliau'r bobol, a thrwy hynny eu haddysgu nhw yn y ffydd Uniongred. Yno roedd Mynachdy Voranetz, sef capel Sistine y dwyrain a adeiladwyd gan Steffan Fawr yn 1488 yn y dull Bysantaidd clasurol. O leiaf, dyna roedd e'n ddweud yn y llawlyfr. Yn anffodus doedd dim arian gan y Llywodraeth i gynnal a chadw'r mynachlogydd, a'r ofn oedd y byddai'r holl etifeddiaeth, cyn hir, yn diflannu.

Ar ôl teithio drwy'r dydd, dyma gyrraedd dyffrynnoedd dyfnion a fforestydd uchel Transylvania. Beth fyddai'n ein disgwyl ni rownd y gornel? Ar y gorwel yn sefyll yn dalog yn erbyn awyr y cyfnos, castell. Hwn oedd y castell a ysbrydolodd Bram Stoker i ysgrifennu ei gampwaith clasurol.

Curo ar y drws, dim ateb. Crwydro drwy'r stafelloedd tywyll. Ar y bwrdd yn y gegin roedd nodyn wedi ei gyfeirio at Jonathan Harker, arwr y nofel, ond fod ei enw wedi ei groesi bant ac enw arall yn ei le. Fy enw i!

'Annwyl Pws,

'Mae'n ddrwg gen i na fedrwn i gwrdd â thi. Gobeithio y gwnei di fwyta'n dda. Gwna dy hunan yn gysurus.

Dracula.'

Ond ble oedd e? Agor drws arall a chlywed bleiddiaid yn udo y tu allan. Ac yna, yn sydyn, roedd e yno yn sefyll o 'mlaen i.

'Fi yw Dracula. Croeso i fy nghartref.'

'O . . . Shwma'i.'

'Mae'n ddrwg gen i nad oeddwn i yma i'th groesawi di'n bersonol. Ond rwy'n hyderus dy fod ti wedi cael popeth roeddet ti ei angen. Fe wna i dy arwain di i dy stafell.'

'Thenciw.'

Diawch, roedd y lle yn ddigon cysurus. Y gwely'n gynnes. Ac amdano fe, roedd e'n fachan ffeind. Er, petaech chi'n gofyn am fy marn i, roedd e fel bat. Diffodd y gannwyll a gorwedd 'nôl i gysgu. Sŵn siffrwd. Teimlo rhywbeth yn cyffwrdd â ngwddw.

Hughes! Help!

17
Gŵyl y Coed Ceirios

Teithwyr, anturiaethwyr, galwch ni be fynnoch chi, mae hi'n anodd. Roedd fy mag mawr i'n llawn, felly fe wnes i brynu bag bach rhad yn Hong Kong. Fe dorrodd y sip, fe dorrodd yr handlen. Ac ar ben y cyfan, wrth i fi lusgo'r bag allan o'r maes awyr, fe gwympodd yr olwyn bant.

Beth bynnag, ro'wn i yn Tokyo. Ac o leiaf roedd fy magiau gen i. Ac ro'wn i yno ym mis Ebrill, a hynny am reswm pwysig. Hwn oedd cyfnod yr *Hanami*, yr adeg pan oedd y coed ceirios yn blodeuo ac yn edrych ar eu gorau. A'r Siapaneaid yn heidio i eistedd o dan y coed prydferth yma ac yn yfed, bwyta a chymdeithasu. Fel petai angen esgus ar unrhyw un i wneud hynny.

Mae gan bawb eu syniadau eu hunain am Siapan a'r bobol sy'n byw yno. Nid o ran lliw a llun ond yr hyn sy'n digwydd ym meddyliau'r bobol, ac yn arbennig eu chwaeth nhw. Ac roedd cyrraedd canol Tokyo am y tro cyntaf yn brofiad anhygoel. Tyrau gosgeiddig, uchel yn codi ym mhobman. Cerddoriaeth uchel. Goleuadau llachar. Sgrîns teledu ym mhobman yn dangos ffilmiau a bandiau cerddorol. Ac yn fwy na dim, sgrîns lle roedd miloedd yn chwarae'r gêmau technolegol diweddaraf. Roedd rhai yn eu chwarae nhw drwy'r dydd, yn llythrennol. A'r nos, am wn i.

Un o'r gêmau mwyaf poblogaidd oedd *Patshinco*, gêm gamblo ddigon tebyg i'r hen gêm *Bagatelle* fyddwn i'n chwarae pan o'wn i'n grwt. Mae'r gamblwyr yn ennill peli bach metel ac ar y diwedd yn eu cyfnewid nhw am arian. Ie, gêmau technegol yw eu diléit nhw. Ac i'r bobol ifanc, steil.

Ro'wn i'n sylwi eu bod nhw'n efelychu steil y gorllewin, y bechgyn yn gwisgo siacedi tyn a chapiau wedi eu gwau a'r merched yn mynd am sgyrtiau a ffrogiau cwta a sgidiau sodlau uchel. Ac, wrth gwrs, pawb yn cario a defnyddio ffôns poced.

Rhaid oedd galw ym marchnad bysgod Tsukiji, a hynny am bedwar o'r gloch y bore. Yng nghanol yr holl bysgod, syndod oedd canfod bara lawr yno. Mae Siapan ar frig rhestr y byd o ran troseddwyr cadwriaethol. A'r rheswm am hynny yw fod y bobol yn fodlon talu'n fwy na neb am bysgod fel y tiwna. A theimlad rhyfedd oedd edrych ar y labeli ar rai o'r pysgod yma. Dyna lle'r o'wn i, wedi hedfan hanner y ffordd ar draws y byd, i weld pysgod oedd wedi dod o Iwerddon.

Y pris uchaf a dalwyd am un tiwna y flwyddyn ro'wn i yno oedd £150,000, sef £20 y cegaid. Roedd y rhan fwyaf o'r pysgod yn y farchnad yn cael eu mewnforio. A'r peth cyntaf a wnâi'r gweithwyr oedd hollti boliau'r pysgod ar draws y stumog er mwyn gweld maint y braster. Roedd yr un welais i yn cael ei dorri yn werth £7,000. Roedd tiwna fel aur.

Fel mewn unrhyw farchnad adre, roedd y darpar brynwyr yn crwydro'r lle yn edrych am fargen gan nodi'r manylion yn eu llyfrynnau bach ar gyfer yr arwerthiant. Diddorol oedd cael gwers ar eu dull nhw o gyfrif yn yr arwerthiant. Roedden nhw, yn naturiol, yn defnyddio'r bysedd fesul un ar gyfer cyfrif i fyny at ddeg. Yna roedd cyfuniad o fysedd, a hyd yn oed siapiau'r bysedd, yn cyfleu rhifau uwch. Roedden nhw'n cyfleu siâp y llythyren 'Q' i gyfleu rhif 35, er enghraifft. Rhywbeth tebyg i'r bwcis 'tic-tac' ar gyrsiau rasus ceffylau.

Fe ganodd y gloch a dyma'r arwerthiant yn dechrau. Ac os 'ych chi'n meddwl fod ein harwerthwyr ni mewn marchnadoedd anifeiliaid yn annealladwy, fe ddylech chi glywed y rhain. Roedden nhw'n rhyw lafarganu ac yn codi a gostwng eu lleisiau bob yn ail. Roedd hyn yn digwydd bob dydd o'r wythnos gyda miloedd o bysgod yn cael eu gwerthu am filiynau o bunnau. A'r cyfan yn gwneud i rywun feddwl, ymhen rhai blynyddoedd, a fyddai yna bysgod ar ôl yn y byd? Os na fyddai pysgod ar ôl, yna fe fyddai'r bois hyn wedi cael eu tships.

Roedd gwylio'r gweithwyr yn torri tiwna anferth yn addysg. Roedd y pysgodyn ei hun wedi costio dros £20,000. Roedden nhw'n ei hollti ar ei hyd â llifau a chyllyll minog, yn union fel hollti boncyff coeden yn bolion. Roedd y galw am bysgod tiwna yn nhai bwyta *Sushi* Siapan gymaint fel bod y prisiau yn cael eu gwthio i fyny y tu hwnt i bob rheswm. O fewn un diwrnod roedd gwerth can miliwn o bunnoedd o bysgod yn cael eu trin yno. Ac wrth i fi adael fe ges i bresant, tua triphwys o gig tiwna mewn bag, a'r cig hwnnw'n goch a thyner.

Gadael y farchnad tua saith o'r gloch y bore a mynd am frecwast. Disgwyl llond plât o gig moch, ŵy a bara saim. Beth ges i? *Sushi!*

Mae pobol ifanc ledled y byd yn dilyn ffasiwn. Ond mae pobol ifanc Siapan yn cymryd y peth yn gwbwl o ddifri. A dylanwad y gorllewin yn amlwg arnyn nhw hefyd. Ar wahân i'w motor-beics. Rhai Siapaneaidd oedd y rheiny. R'yn ni'n meddwl am enwau'r motor-beics hyn fel pethe modern. Ond mae eu hystyr nhw'n debyg iawn i hen enwau yng Nghymru. Mae *Suzuki* yn golygu Coeden Gellyg. Mae *Mazda* yn golygu Cae o Binwydd. Mae *Yamaha* yn golygu Deilen y Mynydd. A *Kawasaki* yn golygu Aber. Ond peidiwch byth â phrynu beic o'r enw *Sachogaci*.

Ar ôl diwrnod yn Tokyo fe wnaethon ni benderfynu teithio i Kyoto, hen brifddinas y wlad, lle tra gwahanol. Dyma gael cyfle i deithio ar y *Shinkansen*, y Trên Bwled Arian, ac un o'r trenau enwocaf yn y byd. Roedden ni wedi bwcio i deithio ar gerbyd rhif 14, a chael ein hysbysu ble ar y platfform fyddai'r cerbyd hwnnw'n sefyll. Ac fe safodd ar yr union fan y bwriedid iddo. Roedd hynny'n nodweddiadol o fedr y Siapaneaid i drefnu pethe. Roedd popeth yn ei le, popeth yn lân a thaclus. Ond roedd concrid ym mhobman, a hynny'n tueddu i wneud i fi ddiflasu.

Ond doedd dim yn ddiflas ynglŷn â'r *Shinkansen*. Ddim yn unig roedd e'n drên cyflym, roedd e hefyd yn drên hir. Roedd e mor hir fel bod y gyrrwr wedi stopio yn y stesion nesaf a chael ei ginio cyn i ni gyrraedd. Ac fel ymhob trên, roedd yn rhaid i'r tŷ bach fod yn y cefn. Ac fel sydd mor arferol hefyd, erbyn i fi ei gyrraedd, roedd rhywun ynddo fe. Damio!

Ymlaen â ni, ac yn y pellter, Mynydd Fuji yn y niwl. A'r trên yn teithio ar 300 cilomedr yr awr. Codi papur newydd a chael syndod o weld fod *Pobol y Cwm* yn cyrraedd Siapan. Roedd llun o Denzil ar y dudalen ôl. Ond na, taflwr codwm *Sumo* oedd e.

Wrth i'r trên ein cludo ni o'r dwyrain i'r gorllewin, syndod oedd gweld cymaint o goncrid a chyn lleied o wyrddni. Ac o'r diwedd, Kyoto, canolfan hen ddiwylliant Siapan a hafan o dawelwch gyda'i ddwy fil o demlau a'i phalasau heirdd. Ochr yn ochr â'r traddodiadol, yma hefyd oedd un o'r stiwdios mwyaf modern lle'r oedden nhw'n gwneud ffilmiau *Samurai* a *Ninja* gorau'r byd. Ac fe wnes i fynd i ysbryd y darn drwy wisgo bandyn du am fy mhen, neidio o gwmpas y lle yn gwneud symudiadau bygythiol gan ebychu synau fel 'O-o-o', 'A-a-a', ac 'W-w-w'. Dod wyneb yn wyneb â *Samurai* go iawn. A hwnnw'n edrych braidd yn ymosodol. Yr ebychu yn troi yn 'Aw!' A dianc am fy mywyd.

Fe ddaeth yn amser i ni chwilio am westy. Ac fe gafwyd un, y *Rikiya*. Neu'r *Riocha*, yn ôl Hughes. I mewn â ni. Pâr o slipers yr un yn ein haros ni. Tynnu'n sgidiau, felly. Ar fwrdd isel, cwpanau te yn ein haros. Cadeiriau bach, isel hefyd. Ac ar y llawr, gwely yr un, neu *futons*. Er mai *croutons* oedd Hughes yn eu galw nhw. Roedd yno ryw fath o allor, ond nid ar ein cyfer ni. Gerllaw, stafell fach arall gyda ffenestri yn edrych allan ar y stryd lle'r oedd teml anferth. Rhwng y ddwy stafell, waliau papur. Lle wedyn ar gyfer ein cwrw . . . ein te, rwy'n feddwl, petai syched arnon ni yn y nos.

Rhyfedd fel mae pethe'n amrywio. Y diwrnod cynt yn Tokyo, teimlo ar ben y byd. Yn Kyoto, pawb eisiau arian am unrhyw beth. Lot o arian. Fe aethon ni at un o ferched y *Geisha*. Roedd honno'n gofyn am fil o bunnau am un cyfweliad bach, bach. Doedd hyd yn oed Jonsy ddim yn cael cymaint â hynna.

Yn draddodiadol, dim ond *Geishas* sydd fod i baratoi te. Ond fe wnes i benderfynu ar ddewis arall. Gwisgo *kimono* a'i wneud e fy hunan. Ffordd lawer rhatach. A choffi oedd e, nid te.

Mae'r hen draddodiadau yn golygu llawer i'r Siapaneaid, a'r

pleserau esthetig yn chwarae rhan bwysig yn eu bywyd nhw. Ac fe wnes i fynd i un o'r gerddi *Zen* lle deuai llawer i fyfyrio ac i feddwl am ystyr bywyd a chanolbwynt cynghanedd. Roedd siâp, ansawdd a lliw yr ardd i gyd yn gymorth i ganolbwyntio'r meddwl ac ymlacio'r corff.

Y tu allan i Kyoto yn y wlad roedd nifer o lefydd pellennig wedi eu creu fel hafanau i bererinion oedd yn chwilio am dawelwch o fwrlwm y dref. Ac roedd hi'n amlwg fod crefydd yn Siapan yn pwysleisio pwysigrwydd natur. Dŵr, coed a thawelwch yw blaenoriaethau'r Bwdist. Ac mae hi'n bwysig cael lle i ddianc rhag y sŵn a'r mwg am ysbaid.

Mor wahanol oedd hi 'nôl yn Kyoto. Y noson cynt roedd y lle yn wag. Nawr roedd canol y ddinas yn fwrlwm am mai hwn oedd diwrnod cynta'r gwanwyn. Pawb wedi dod i weld y blodau, yr *Hanami*. Ac yno roedd y *Geishas*. Nhw, siŵr o fod, yw'r ddelwedd gryfa sydd ganddon ni o'r bobol. Y noson honno, *Meiko* oedd yn perfformio, hynny yw, *Geishas* dan hyfforddiant mewn gwisgoedd llaes a'u hwynebau wedi eu lliwio'n wyn. Fe fyddai dynion cyfoethog yn fodlon talu dwy fil o bunnau am gwmni *Geisha* am noson allan mewn tai te neu dai bwyta yn ardal Gion. Fe ddysgir y *Meiko* sut i ddawnsio, sut i chwarae offerynnau cerdd, gweini diodydd, cynnau sigarét a sgwrsio'n ddifyr. Ond yng nghanol y miri mawr roedd amser i weddïo hefyd.

Drannoeth fe gawson ni wahoddiad i gyfarfod â chaligraffydd, un o'r goreuon yn y wlad am wneud *Shodo*, sef dull o ysgrifennu a ddatblygwyd gan wŷr bonheddig, offeiriaid a *Samurai*. Yn gyntaf roedd angen gwesty am y noson. Fe wnes i ddewis un. Ond diolch i Hughes am fy achub i. Fe sylweddolodd Al nad gwesty cyffredin oedd hwn ond '*Love Hotel*'. Yno yr âi parau ifanc priod oedd yn byw mewn tai bychain a welydd tenau i ddianc rhag y teulu-yng-nghyfraith am awr neu ddwy.

Ond roedd caligraffi'n galw. Fe aethon ni i gartref Sosai Onada, lle'r oedd ei weithdy hefyd, a hwnnw'n llawn o wrthrychau hardd ac enghreifftiau hyfryd o'i grefft. Ei arddull oedd peintio llythrennau neu eiriau Siapaneaidd ar bapur reis gan ddefnyddio inc trwchus. Roedd y cyfan yn gywrain ac yn gain, rhai o'r darnau papur mor fawr fel y byddai'n eu gosod nhw ar lawr gan ddefnyddio brws bron mor fawr â sgubell i beintio'r inc arnyn nhw. Yr enghraifft wnaeth e beintio i ni oedd y *Sakura*, sef Blodyn y Ceirios. Wedyn, yn hytrach nag arwyddo'r darnau celf fe wnâi e osod ei stamp yn llythrennol ar y gwaelod. Mae ei waith i'w weld ledled Siapan ac mae'n gwerthu ei galigraffi fel y bydd artistiaid yng Nghymru yn gwerthu eu lluniau.

Celfyddyd draddodiadol bwysig arall yn Siapan oedd cerddoriaeth. Fe aethon ni i weld yr Athro Homei Matsomura a'i ddisgybl, Daki Shilida. Roedd yr Athro yn union yr un fath â Lyn Ebenezer. Roedd e'n arbenigo ar chwarae'r offerynnau bambŵ traddodiadol. Yr offeryn wnaeth e chware i ni oedd y *shakuhatshi*, math ar ffliwt. Roedd e'n ei gosod hi o dan ei wefus isaf ac yn chwythu. Roedd hi'n swnio fel ffliwt hefyd. Fe wnaeth e roi datganiad i ni o ddarn a oedd yn ail-greu synau ceirw yn galw ar ei gilydd.

Mwy o ddawnsio wedyn. A hen gelfyddyd arall yn cael ei harddangos wrth i gyrff y merched adlewyrchu gosgeiddrwydd wrth gyfuno â harddwch y ddawns, llais, cerddoriaeth a chelf. A dylanwad y *Samurai* yn dal yn gryf yn y diwylliant. Roedd pob disgyblaeth ynghlwm wrth ei gilydd. Pob un yn ymgyffwrdd â'r llall, o ddawns y *Geisha* i symudiadau'r ymladdwyr *Kendo* a steil unigryw'r codymwyr *Sumo*.

Ond fel ym mhobman, roedd pethe'n newid yn Siapan gyda phobl ifanc y stryd yn datblygu eu steil a'u ffasiwn eu hunain. Ar y pryd, Gothig oedd y peth mawr. Beth ddeuai wedyn, doedd neb a wyddai. Ond a oedd y ffasiwn newydd mor wahanol â hynny? Oedd y rhod yn troi? Dim ond amser a wnâi ddangos a oedd yr hen wedi diflannu, a beth oedd i ddod.

Roedd pawb wnaethon ni gyfarfod â nhw wedi bod yn ffeind iawn, yn garedig, yn groesawgar ac yn chwerthin yn hapus. Ond fe wnaethon ni hefyd weld yr ochr arall, sef pwysigrwydd methu-colli-wyneb. Roedd honno hefyd yn agwedd bwysig iawn iddyn nhw. Fe ddywedodd un wrtha i i Siapan ymladd yr Ail Ryfel Byd gydag anrhydedd. 'Do,' medde fe, 'fe wnaethon ni fomio Pearl Harbour. Ond wnaethon ni ddim bomio'r cyflenwad olew.' Fel petai hynny'n gwneud popeth yn iawn. Yr elfen yma o gadw wyneb oedd y sioc ddiwylliannol fwyaf i fi yn Siapan. Peth arall hefyd oedd eu diffyg pendantrwydd nhw. Fe fydden ni'n gofyn am ganiatâd i ffilmio yma ac acw. Yn aml iawn, chaen ni ddim ateb pendant, dim ond 'efallai'.

Eto i gyd fe wnes i weld pobol y wlad, yn enwedig y mynachod a'r bobol artistig, yn bobol ffeind iawn ac yn hawdd closio atyn nhw. Fe ddywedwyd wrthon ni hefyd, hyd yn oed os ydych chi wedi byw yn Siapan am hanner canrif a mwy, r'ych chi'n dal i gael eich ystyried yn *Gaijin* gan y bobol leol. *Gaijin?* Dyn dŵad. Nawr, ydi hwnna'n swnio fel rhywle arall chi'n nabod?

Sayonara.

18
Crib y Cuillin

Ar ôl bod yn mynydda fyny ar Eryri, ro'wn i wedi dechrau mwynhau'r peth. Ond dyma Fo yn dweud 'Na, mae'n rhaid i ti ehangu dy orwelion, 'de. Mynd i rywle arall.' Syniad Hughes oedd i fi fynd ar wâc glasurol, a dim ond un lle oedd yn addas ar gyfer hynny, fyny ar Ynys Skye yn yr Alban, sef Crib y Cuillin.

Fe wnes i gytuno mynd ar yr amod y byddai yno rywun i ofalu ar fy ôl i. 'Iawn,' medde Fo, 'fe wna i drefnu rhywun i edrych ar dy ôl di.' A dyma Fo'n rhoi manylion i fi am y bachan wnaeth e ffeindio: Y cyntaf i ddringo y Diamond Couloir yn Kenya yn solo. Y cynta i esgyn copa y Biblomotin a'r Hunza Peak yn y Karakoram. Ar y pryd, roedd e'n Is-Lywydd Cyngor Mynydda Prydain. Ac ef oedd y Cymro cyntaf, a dim ond y pumed ym Mhrydain, i ddringo wyneb gogleddol Everest. Digon o gliws fan'na? Ie, Caradog Jones. Fe ddylwn i fod yn saff gydag e. Dim ond un broblem. Roedd e'n dod o Dregaron.

Gyrru fyny i gartre Caradog yn ardal Caer, ei fagiau eisoes wedi'u pacio. Ac yn ôl maint y bagiau, roedd wâc go sylweddol yn ein haros ni. A bant â ni, fi yn gyrru, Caradog wrth fy ymyl a Fo yn y sedd ôl. Roedd Caradog yn teimlo fod y dull yma o deithio yn dderbyniol iawn gan mai bodio fydde fe fel arfer.

Dal ar y cyfle ar y ffordd i gael ychydig o hanes Caradog. Sut ddechreuodd y diddordeb a'i harweiniodd e i fyny i gopa mynydd ucha'r byd? Fe wnaeth e esbonio iddo gael cyfle i gael profiad gyda dringwr oedd yn gweithio gyda'i dad. Roedd tad Caradog yn goedwigwr ym Mhontrhydfendigaid. Ac fe gychwynnodd y cyfan o'r cyfeillgarwch hwnnw.

Roedd Caradog yn awyddus i wybod sut wnes i ddechrau cerdded mynyddoedd. Fe wnes i esbonio mai ar Robin Ifans, Cynhyrchydd *Byd Pws* oedd y bai.

Roedd hi'n siwrne hir, a fe es i ymlaen i sôn wrth Caradog

am fy mhrofiadau i a'r wraig ar wyliau yng Ngroeg. Sylwi nad oedd e'n ateb. Yna sylweddoli ei fod e'n cysgu.

Roedd ein taith ni i'r Cuillin yn cychwyn o ddifri yn Loch Coruisk, neu Lyn Crochan y Dŵr. Ac wrth i ni groesi tuag at Skye ar gwch, sef y *Bella Jane*, roedd y môr yn dawel a morloi yn gorwedd yn ddioglyd ar y creigiau yn haul gwan mis Medi. O'r cwch roedd modd gweld y grib gyfan yn gorwedd o'n blaen fel asgwrn cefn rhyw Lefiathan enfawr. Fe esboniodd Caradog fod y grib, Sgurr na nGuillian, yn ymestyn dros saith milltir ac, o ran uchder, heb fod yn is na 2,500 o droedfeddi yr holl ffordd. Fe fyddai gofyn i ni yn gyntaf groesi ceunant, a gâi ei hadnabod fel y Nant Ddu ac i fyny i gopa Gars Beinn, sef y Mynydd Garw. Fe gymerai'r daith gyfan o leiaf ddau ddiwrnod, a hwyrach dridiau gan fod y dyddiau'n fyr.

Ro'wn i wedi meddwl y medren ni gerdded yr holl ffordd o fewn diwrnod. Ond ble oedd y gwesty lle bydden ni'n cysgu? Y newydd drwg oedd na fyddai yna westy. Cysgu allan mewn pabell ar y creigiau fydden ni. Wel, diolch yn fawr!

Ar Skye y bu Bonnie Prince Charlie'n cuddio. Enw'r ynys yn yr Aeleg yw Eilean a Cheo, sef Ynys y Niwl. Ond wrth i ni agosáu, roedd yr awyr yn glir. Yn y pellter roedd modd i ni weld pigyn uchel o graig. Hwn, yn ôl Caradog, oedd Dant y Dienyddiwr, neu'r Bastir. A'r newydd drwg oedd y byddai'n rhaid i ni fynd drosto. A hwn fyddai'r darn mwyaf anodd gan y byddai'n rhaid ei groesi cyn i ni fedru cyrraedd Sgurr na nGuillian.

Dyma ddechrau dringo. Ac fe ddaliais i ar y cyfle i ddefnyddio fy ffôn poced i werthu fy holl gyfranddaliadau. Syniad da, yn ôl Caradog, gan fod yna bosibilrwydd cryf na ddown i ddim 'nôl!

Fe wnaethon ni ddringo Gars Beinn yn gyntaf. A dyma ofyn cwestiwn perthnasol i Caradog. Beth oedd y gwahaniaeth rhwng Bing Crosby a Walt Disney? Wel, yr ateb oedd, '*Bing sings, but Walt dis'ne.*' Da, ontefe? Er, wnaeth Caradog ddim chwerthin llawer. Wnaeth Hughes ddim chwerthin o gwbwl.

O'n blaen nawr roedd Casteal a' Garbh-Choire, neu'r Castell Garw, ac wedyn Sgurr Dubh an da Bheinn, sef y Mynydd Du â'r Ddau Ben, ymlaen i Sgurr Alasdair, sef yr uchafbwynt, ac yna'r *Inaccessible Pinnacle*, neu'r Inn Pin, lle bydden ni'n cysgu. Roedd hynny'n ymddangos yn bell iawn. Ac *roedd* e'n bell gan y byddai'n nodi traean o'r ffordd.

Roedd yr amser wedi dod i fi wisgo'r harnais a chael fy nghlymu wrth Caradog â rhaff. Ro'wn i nawr ar ei drugaredd ef. I fyny yr aeth e gan ddilyn agen yn y graig. Finne'n ei ganlyn drwy fanteisio ar y craciau oedd yma ac acw. Ar y brig fe ges i gryn sioc. Yno, yn cael ei adlewyrchu ar gwmwl y tu ôl i enfys, roedd adlewyrchiad perffaith ohonon ni. Yn ôl Caradog, ffenomen o'r enw *brokenspectre*, neu rith lun oedd hyn.

O'n blaen ni roedd crib gul, hir ac uchel yn rhedeg am gannoedd o lathenni. Fe fydden ni, cyn hir, yn cerdded ar hyddi. Pa mor llydan oedd hi? 'Dim,' oedd ateb Caradog, 'dim ond rhimyn main.' Nawr ro'wn i'n cael cathod bach. Ychydig iawn o gysur oedd deall ein bod ni ar ben Sgurr Alasdair, y man uchaf. O leiaf, fe fedrwn i ddweud i fi gyrraedd y top.

Yna, yn sydyn, fe ges i bwl o hyder, neu efallai mai styfnigrwydd oedd e. Ro'wn i am gwblhau'r daith. A chyn hir roedden ni ar y grib gul ac yn cripian ar ei hyd. Bob ochr i ni roedd dibyn mor ddwfn fel na fedrwn i weld y gwaelod. Mewn mannau roedd angen i fi fynd ar fy mhedwar. Hunllef i rywun oedd ddim yn unig heb fod yn ddringwr, ond a oedd hefyd ag ofn uchder. Hughes, y jawl, yn addo mai dim ond wâc fach fyddai hi. A dweud y gwir, roedd gweld Hughes a'i gamera yn gwneud i fi deimlo'n waeth.

Do, fe wnaethon ni gyrraedd diwedd y grib. Mwy o ddringo nawr. Meddyliwch, dim ond wâc fach dros y carneddau oedd hon i fod. Ond roedd hyn yn ddringo go iawn. Ro'wn i'n teimlo fel Hobbit bach ar ei ffordd dros y mynydd i Mordor.

Fe gawson ni saib fer, a ninnau o fewn awr i orffwys am y nos. Cyfle i adolygu'r daith hyd yma. Yn ôl Caradog ro'wn i wedi gwneud yn dda yn gorfforol. Yr agwedd seicolegol oedd yn brin. Roedd yna berygl i fi fychanu fy hun a pherswadio fy hun fy mod yn fethiant. Rhaid oedd bod yn bositif. Reit, ro'wn i'n bositif. Ro'wn i'n bositif fy mod i'n caca brics.

Fyny â ni eto. Cydio fan hyn, gosod troed fan draw. Cyrraedd copa craig arall a chodi nghalon o glywed Caradog yn dweud ein bod ni newydd gwblhau darn mwyaf anodd y daith. Yna roedden ni ar grib arall gyda Caradog yn gosod *pitons* yma ac acw i ddal y rhaff, a finne'n dilyn. Ond roedd ambell i *piton* yn dod yn rhydd. Fe ddisgrifiodd Caradog y graig fel craig *Lego*, hynny yw, roedd hi'n dueddol o chwalu. Dyna i chi galondid!

Fedrwn i ddim edrych lawr bellach. Tyngu llw na wnawn i hyn byth eto. Breuddwydio am gael bod yn y dafarn fach glyd yna ar lawr gwlad. Ond Caradog yn rhybuddio fod darnau anodd eto i ddod. A dyma fe'n dangos i fi ble wnaeth e gysgu'r tro diwetha roedd e yno. Dim byd ond sgwaryn bach o graig a phorfa, fawr mwy na hances boced. Roedd yno fwy o le y tro diwetha, yn ôl Caradog. Yn amlwg, roedd darnau o'r graig wedi disgyn i'r dyffryn islaw.

Amser i abseilio lawr wyneb y graig. Y gyfrinach, yn ôl Caradog, oedd pwyso'n ôl ddigon. A diolch i'w gynghorion a'i anogaeth, fe wnes i lwyddo i gyrraedd y gwaelod. Perffaith, yn ôl Caradog. Hwrê! Fi 'di gwneud yr Inn Pin! Fi 'di gwneud yr Inn Pin! Doedd y ffaith fod Caradog wedi gwneud Everest ddim yn cyfrif.

Cyrraedd y Grib Goch a dringo fyny. A'r copa ar goll yn y niwl. Roedd hi'n anodd. Wnawn i ddim o hyn gyda neb ond Caradog. Beth? O, ie, a ti hefyd Hughes, wrth gwrs. O ben y Grib Goch roedd modd gweld yr holl ffordd yn ôl ar hyd y grib gyfan, gweld ble roedden ni wedi bod draw dros yr Inn Pin a'r holl ffordd i Sgurr Alasdair.

Cyn hyn dow'n i ddim wedi cysgu allan ar y mynyddoedd. Gwersylla gyda'r wraig yn yr haf yng Ngroeg a Llydaw, do. Ond erioed ddim byd fel hyn. Roedd mynydda ei hun yn brofiad ond roedd hyn yn rhywbeth hollol wahanol i ddim byd ro'wn i wedi ei wneud o'r blaen. I Caradog, wrth gwrs, doedd e'n ddim byd. Roedd e wedi dringo mynyddoedd ucha'r byd. Oedd e ddim ofn o gwbwl?

'Na,' medde fe, 'fe fyddai'n trefnu popeth mor fanwl fel na fyddai lle nac amser i ofn. Gofalu peidio â chwpla mewn sefyllfa o ofn. Trefnu fod digon o egni ar ôl, er enghraifft. Trefnu wedyn fod digon o fwyd wrth gefn.'

'Ond,' medde fi, 'roedd hi'n amhosib trefnu'r tywydd.'

A dyma Caradog yn adrodd am ei brofiad ar Everest, gyda thywydd drwg yn ei daro tra oedd yn y gwersyll uchaf. Yno roedd dau ohonyn nhw'n disgwyl am gyfle i fynd am y copa ond y storm yn eu dal am dridiau.

'Dyna lle'r oedden ni,' medde Caradog, 'yn mynd yn brin o fwyd ac ocsigen ac yn gorfod toddi'r iâ er mwyn cael dŵr. Ond roedd cymaint o sbwriel wedi'i adael ar ôl gan ddringwyr eraill fel i ni gael bwyd allan o'r sbarion oedd wedi eu gadael. Turio drwy'r holl sbwriel er mwyn chwilio am rywbeth i'w fwyta. Fe wnaethon ni lwyddo i ffeindio digon i'n cynnal tra oedden ni'n disgwyl i'r gwynt ostwng. Ac yna fe aethon ni am y copa.'

Yn y babell fach uwchlaw'r dibyn fe lwyddodd y ddau ohonon ni i gysgu. Fe wnes i freuddwydio fy mod i 'nôl yn y Llew Du yn Aber yn yfed peint gyda Lyn Ebenezer. Ymlaen â ni, i fyny clogwyni, dilyn crib, lawr clogwyni. Saib i yfed pop a bwyta cacen. Rhoi'r pop oedd ar ôl i Caradog. Yn wir, fe fyddwn i'n fodlon rhoi fy *Rollo* olaf iddo fe.

'Excuse me, is that a cream slice or a meringue?'

'No, you're right.'

Mae'n rhaid i chi adrodd y jôc yna gydag acen Albanaidd. Chi'n deall? 'A meringue.' 'Am I wrong?' A, wel. Ymlaen â ni ac yna, yn sydyn, yn sefyll o'n blaen ni, Dant y Dienyddiwr yn codi fel tŵr anferth. A dyma ddod i benderfyniad. Do'wn i ddim yn mynd dros hwnnw. Fe awn i rownd iddo fe. A chwarae teg, fe addawodd Caradog beidio â dweud wrth neb. Ond fe aeth e drosodd. A Hughes hefyd.

Fe wnes i ailymuno â Caradog a diolch iddo o waelod calon am ei amynedd. Roedd hi wedi bod yn daith wyth milltir o Gars

Beinn i Sgurr na nGuillian. Tri diwrnod llawn. Ond beth oedd y record am y daith? Tair awr a 32 munud! Wir i chi!

Wrth edrych yn ôl, doedd y Cuillin ddim cynddrwg â'r Pedwar Copa ar Ddeg yn Eryri. Er fy mod i'n ofni uchder – rwy'n teimlo'n benysgafn pan wna i wisgo sanau trwchus – crib yw'r Cuillin yn hytrach na chyfres o gopaon. Felly, o ofalu peidio ag edrych i lawr, ro'wn i'n iawn. Yn wahanol i Eryri, doedd y penliniau ddim yn dioddef.

Do, fe wnes i fwynhau'r Cuillin, a hynny'n bennaf am fy mod i'n ymddiried cymaint yn Caradog. Mae'n rhaid parchu rhywun sydd wedi cyrraedd copa Everest. Eto i gyd, fe fyddwn i'n gofyn ambell gwestiwn i fi fy hunan. Oedd y rhaffau'n ddigon trwchus? Wrth gwrs eu bod nhw; roedd Caradog wedi trefnu popeth ymlaen llaw. Mae un digwyddiad yn crisialu agwedd Caradog. Roedd Al wedi anghofio'i frwsh dannedd. A dyma Caradog yn twrio yn ei fag a thynnu un sbâr allan. Mae dringwyr, wrth gwrs, yn teithio'n ysgafn, felly dyma Hughes yn gofyn, 'Pam ddiawl wnest ti ddod â brwsh dannedd sbâr?' A Caradog yn ateb, 'Jyst rhag ofn.' A dyna arwyddair Caradog, 'Jyst rhag ofn.'

A'r peth mawr nawr yw fy mod i'n medru brolio i fi ddringo'r *Inaccessible Pinnacle*. All pawb ddim dweud hynny.

Er yr holl bleser, hyfryd oedd cael cyrraedd gwesty Sligachan. A thra oedd Caradog yn codi cwrw wrth y bar, dyma gynnal sgwrs â dau ddringwr dibrofiad. 'O, fe wnaethon ni'r siwrne mewn pum awr. Dyna lle'r oedden ni ar yr *Inaccessible Pinnacle*, a Caradog mor ofnus, fedrai e ddim symud. Felly fe wnes i abseilio lawr, dringo ar draws, gosod *piton* neu ddau a chlymu rhaff o'i gwmpas e a . . . '

'Peint, Dewi?'

'O, Caradog, ti 'nôl. O'wn i jyst yn dweud wrth y rhain pa mor dda oeddet ti . . . '